LE PRISONNIER DU CIEL

CARLOS RUIZ ZAFÓN

LE PRISONNIER DU CIEL

roman

traduit de l'espagnol par François Maspero

ROBERT LAFFONT

Titre original : EL PRISIONERO DEL CIELO
© Shadow Factory, S.L., 2011
Traduction française : Éditions Robert Laffont, S.A., Paris, 2012

ISBN 978-2-221-13102-2
(édition originale : ISBN 978-84-08-1058-24 Editorial Planeta,
Diagonal, 662-664, Barcelone)

Le Cimetière des Livres Oubliés

Ce livre fait partie d'un cycle de romans qui s'entre-croisent dans l'univers littéraire du Cimetière des Livres Oubliés. Les romans qui composent ce cycle sont liés entre eux par des personnages et des fils qui tendent des ponts narratifs et thématiques, même si chacun offre une histoire complète, indépendante et se suffisant à elle-même.

Les divers volumes de la série du Cimetière des Livres Oubliés peuvent être lus dans n'importe quel ordre et séparément. Ils permettent au lecteur d'explorer le labyrinthe d'histoires en y accédant par différentes portes et différents chemins qui, mis bout à bout, le conduiront au cœur du récit.

« J'ai toujours su que je reviendrais un jour dans ces rues pour raconter l'histoire de l'homme qui avait perdu son âme et son nom dans les ombres de cette Barcelone immergée dans le trouble sommeil d'un temps de cendres et de silence. Ce sont des pages de feu écrites dans les tréfonds de la ville des maudits, des mots gravés dans la mémoire de celui qui est revenu d'entre les morts avec une promesse clouée en plein cœur et au prix d'une malédiction. Le rideau se lève, le public se tait et, avant que l'ombre qui plane sur son destin descende des cintres, un essaim d'esprits blancs entre en scène, la comédie aux lèvres, avec cette bienheureuse innocence de quelqu'un qui, croyant que le troisième acte est le dernier, vient nous narrer un conte de Noël sans savoir qu'arrivé à la dernière page l'encre de son souffle l'entraînera lentement et inexorablement au cœur des ténèbres. »

Julián Carax, *Le Prisonnier du Ciel,*
Éditions de la Lumière, Paris, 1992

Un conte de Noël

1.

Barcelone, décembre 1957

Cette année-là, à Noël, nous eûmes tous les jours des petits matins de plomb et de givre. La ville baignait dans une pénombre bleutée, et l'haleine des passants emmitouflés jusqu'aux oreilles dessinait des traînées de vapeur dans le froid. Ils étaient bien peu, ceux qui s'arrêtaient pour regarder la vitrine de Sempere & Fils, et moins nombreux encore ceux qui s'aventuraient à l'intérieur pour demander le livre perdu qu'ils avaient cherché toute leur vie et dont la vente aurait contribué à renflouer les finances précaires de la librairie.

— Je crois qu'aujourd'hui sera le bon jour. Aujourd'hui, notre sort va changer ! proclamai-je après le premier café de la journée, rendu optimiste au seul goût du liquide.

Mon père, qui depuis huit heures du matin bataillait avec le livre de comptes à coups de crayon et de gomme, leva les yeux de la caisse et observa le défilé des clients manqués qui se perdait dans la rue.

— Le ciel t'entende, Daniel, parce qu'à cette allure, si nous ratons la saison de Noël, en janvier nous n'aurons pas de quoi payer la quittance d'électricité. Il faut trouver quelque chose.

— Hier, Fermín a eu une idée, aventurai-je. D'après lui, il s'agit d'un plan magistral pour sauver la librairie de la banqueroute imminente.

— Mon Dieu, ayez pitié de nous !

Je citai textuellement :

— « Si on me mettait en caleçon dans la vitrine en manière de décoration, nous obtiendrions que quelque représentante de la gent féminine avide de littérature et d'émotions fortes entre faire des achats, car les connaisseurs assurent que l'avenir de la littérature dépend des femmes et, croyez-moi, elle n'est pas encore née, celle qui sera capable de résister au charme bucolique de ce corps robuste. »

J'entendis derrière moi le crayon de mon père tomber par terre, et je me retournai.

— Fermín *dixit*, précisai-je.

Je pensais que mon père allait sourire de cette boutade de Fermín, mais, constatant qu'il ne sortait pas de son silence, je le regardai du coin de l'œil. Non seulement Sempere senior ne semblait pas amusé par une telle ineptie, mais il arborait une expression méditative, comme s'il la prenait au sérieux.

— Sais-tu que Fermín a peut-être trouvé la solution ? murmura-t-il.

Je l'observai, incrédule, en me demandant si la disette commerciale dont nous avions été victimes ces dernières semaines n'avait pas fini par affecter le bon sens de mon géniteur.

— Tu ne vas tout de même pas lui permettre de se promener dans la librairie en petite tenue !

— Non, ce n'est pas ça. Il ne s'agit pas de son histoire de vitrine. Pourtant, tu m'as donné une idée... Nous sommes peut-être encore en mesure de sauver Noël.

Il disparut dans l'arrière-boutique et, presque tout de suite, revint vêtu de son uniforme officiel d'hiver : le manteau, l'écharpe et le chapeau, toujours les mêmes, que je lui connaissais depuis mon enfance. Bea soupçonnait mon père de n'avoir pas acheté d'habits depuis 1942, et tous les indices paraissaient donner raison à ma femme. Pendant qu'il enfilait ses gants, mon père souriait vaguement, et l'on percevait sur ses traits cet éclat presque enfantin que seules les grandes entreprises parvenaient à lui arracher.

— Je te laisse seul un moment, annonça-t-il. Je sors faire une course.

— Puis-je te demander où tu vas ?

Il me fit un clin d'œil.

— C'est une surprise.

Je le suivis jusqu'au seuil et le vis partir d'un pas ferme en direction de la porte de l'Ange, une silhouette de plus dans la marée grise des passants naviguant dans ce nouveau long hiver d'ombre et de cendre.

2.

Profitant de ce qu'il m'avait laissé seul, je décidai d'allumer la radio pour écouter un peu de musique tout en remettant les livres des rayons dans un ordre plus à mon goût. Mon père croyait que faire marcher la radio dans la librairie quand il y avait des clients n'était pas convenable, et si je la branchais en présence de Fermín, celui-ci se mettait à chantonner des paroles décousues sur n'importe quelle mélodie — ou, pis encore, à danser sur ce qu'il appelait des « rythmes sensuels des Caraïbes ». En quelques minutes j'avais les nerfs en pelote. Compte tenu de ces difficultés pratiques, j'en étais arrivé à la conclusion que je devais limiter mon plaisir radiophonique aux rares moments où, à part moi et plusieurs dizaines de milliers de livres, il n'y avait personne dans la boutique.

Radio Barcelone diffusait ce matin-là un enregistrement clandestin qu'un collectionneur avait effectué d'un magnifique concert donné par le trompettiste Louis Armstrong et son orchestre trois ans plus tôt au Windsor Palace de l'avenue de la Diagonale, pour Noël. Dans les pauses publicitaires, le speaker s'appliquait à étiqueter cette musique comme étant du « djass » et à prévenir que certaines de ses syncopes agressives pouvaient ne pas être adaptées à la consommation de l'auditeur national formé à la chansonnette, au boléro et au mouvement yé-yé naissant qui dominait les ondes de l'époque.

Fermín répétait souvent que si Isaac Albéniz était né

noir, le jazz aurait été inventé à Camprodón, comme les biscuits en boîte, et que, avec les soutiens-gorge en forme d'obus portés par sa Kim Novak adorée dans certains des films que nous voyions au cinéma Femina en matinée, cette musique était l'une des rares réussites de l'humanité au point où nous en étions du XXe siècle. Et pas question de discuter.

Je laissai s'écouler le reste de la matinée entre la magie de cette musique et le parfum des livres, savourant la sérénité et la satisfaction que procure le travail simple consciencieusement exécuté.

Fermín avait pris un matin de congé afin, assurait-il, d'achever les préparatifs de son mariage avec Bernarda prévu pour le début de février. La première fois qu'il avait abordé le sujet, à peine deux semaines plus tôt, nous lui avions tous soutenu que c'était précipité, et qu'aller trop vite ne menait nulle part. Mon père avait tenté de le convaincre de retarder la cérémonie d'au moins deux ou trois mois, arguant que l'été et le beau temps convenaient mieux à des noces, mais Fermín s'était obstiné à maintenir la date en alléguant qu'un individu comme lui, fait au climat sec des collines d'Estrémadure, transpirait abondamment quand venait l'été de la côte méditerranéenne, qu'il qualifiait de «subtropical», et qu'il ne s'imaginait pas du tout célébrant ses noces avec, aux aisselles, des taches aussi humides et larges que des éponges.

Je commençais à penser qu'il devait se passer quelque chose d'étrange pour que Fermín Romero de Torres, étendard vivant de la résistance civile à notre sainte mère l'Église, à la banque et aux bonnes mœurs dans cette Espagne des années 1950 — celle de la messe et des actualités —, manifeste pareille urgence à convoler religieusement. Dans son zèle prénuptial, il en était même venu à se lier d'amitié avec le nouveau curé de l'église Santa Ana, don Jacobo, un prêtre de Burgos aux idées larges et aux manières de boxeur à la retraite, auquel il avait communiqué sa passion débordante pour les dominos. Fermín se livrait avec lui à des parties historiques au café Almirall, le dimanche après la messe, et le prêtre riait de bon cœur, entre deux verres de liqueur de Montserrat, quand mon ami lui demandait s'il savait que les bonnes sœurs avaient des fesses et, dans ce cas, si elles étaient aussi tendres et agréables à mordiller qu'il le soupçonnait depuis l'adolescence.

— Vous allez finir par vous faire excommunier, le grondait mon père. Les bonnes sœurs, on ne les regarde pas et on n'y touche pas.

— Mais puisque le curé rigole aussi fort que moi ! protestait Fermín. S'il n'y avait pas l'uniforme...

J'étais en train de me rappeler cette discussion et de fredonner au son de la trompette du maître Armstrong quand la sonnette de la porte émit son doux tintement. Je levai les yeux en m'attendant à voir mon père de retour de sa mission secrète ou Fermín prêt à prendre son poste pour l'après-midi.

— Bonjour, prononça une voix grave et rauque du seuil de la boutique.

3.

À contre-jour, sa silhouette ressemblait à un tronc d'arbre fouetté par le vent. Le visiteur portait un costume noir de coupe archaïque sur un corps contrefait et s'appuyait sur une canne. Il avança d'un pas en boitant visiblement. La lumière de la petite lampe posée sur la caisse révéla un visage raviné par les ans. Il me jaugea quelques instants, sans se presser. Son regard rappelait celui d'un oiseau de proie, patient et calculateur.

— Vous êtes M. Sempere ?

— Je suis Daniel. M. Sempere est mon père, mais il n'est pas là en ce moment. Puis-je vous aider ?

Le visiteur ignora ma question et déambula dans la librairie en examinant tout de très près avec un intérêt proche de la cupidité. La claudication dont il était affligé donnait à penser que les lésions dissimulées par ce costume étaient d'importance.

— Souvenirs de la guerre, dit l'inconnu, comme s'il avait lu dans mes pensées.

Je le suivis des yeux dans son inspection, soupçonnant l'endroit où il allait jeter l'ancre. Et, tel que je l'avais prévu, l'inconnu s'arrêta devant la vitrine en ébène, relique remontant à la fondation de la librairie dans sa première incarnation, vers 1880, quand l'arrière-grand-père Sempere, qui était alors un jeune homme revenant de ses aventures en terres caraïbes, avait emprunté de l'argent pour acquérir une ancienne boutique de gants et la transformer en librairie. C'était dans cette vitrine, qui occupait la place d'honneur dans la boutique, que nous rangions les volumes les plus précieux.

Le visiteur s'en approcha suffisamment pour que son haleine se dessine sur la vitre. Il chaussa des lunettes et en étudia le contenu. Son attitude m'évoquait une belette en train d'examiner les œufs récemment pondus dans un poulailler.

— Un beau meuble, murmura-t-il. Il doit valoir son prix.

— C'est une antiquité de famille. Il a surtout une valeur sentimentale, répliquai-je, gêné par les appréciations de ce client singulier qui semblait estimer jusqu'à l'air que nous respirions.

Au bout d'un moment, il rangea ses lunettes et parla sur un ton posé.

— J'ai appris que travaillait chez vous un monsieur dont tout le monde reconnaît la compétence.

Comme je ne répondais pas tout de suite, il se retourna et m'adressa un de ces regards qui vieillissent leur destinataire.

— Comme vous voyez, monsieur, je suis seul. Si vous voulez bien m'indiquer quel titre vous désirez, je me ferai un plaisir de vous le chercher.

L'inconnu esquissa un sourire qui paraissait tout sauf aimable, puis acquiesça.

— Je vois que vous avez dans cette vitrine un exemplaire du *Comte de Monte-Cristo*.

Ce n'était pas le premier client qui s'intéressait à ce volume. Je répétai le discours officiel que nous sortions en de telles occasions :

— Vous avez un œil très exercé. Il s'agit d'une édition superbe, numérotée et avec des planches gravées d'Arthur Rackham, provenant de la bibliothèque personnelle d'un grand collectionneur de Madrid. C'est une pièce unique et répertoriée.

Le visiteur m'écoutait distraitement. Montrant clairement que mon propos l'ennuyait, il concentrait son attention sur les montants en ébène de la vitrine.

— Pour moi, tous les livres se valent, mais j'aime le bleu de cette couverture, rétorqua-t-il d'un ton dédaigneux. Je vais le prendre.

En d'autres circonstances, j'aurais sauté de joie à l'idée de placer ce qui était probablement le livre le plus cher de toute la librairie, pourtant quelque chose me retournait l'estomac dans le fait que ce livre aille finir entre les mains d'un tel personnage. Mon petit doigt me soufflait que si ce volume quittait la librairie, plus jamais personne n'en lirait ne serait-ce que les premières lignes.

— C'est une édition très chère. Si vous le désirez, je peux vous montrer d'autres éditions de la même œuvre en parfait état et à des prix plus accessibles.

Les gens qui ont l'âme petite tentent toujours de rapetisser les autres, et l'inconnu, dont je pressentais qu'il aurait pu loger la sienne dans une tête d'épingle, me dédia son regard le plus méprisant.

— Et qui ont aussi une couverture bleue, ajoutai-je.

Il ignora l'impertinence de mon ironie.

— Non, merci. C'est celui-là que je veux. Le prix n'a pas d'importance.

J'acquiesçai à contrecœur et me dirigeai vers la vitrine. Je sortis la clef et ouvris la porte vitrée. Je pouvais sentir les yeux de l'inconnu rivés sur mon dos.

— Tout ce qui est bon est toujours sous clef, observa-t-il à voix basse.

Je pris le livre et soupirai.

— Êtes-vous collectionneur, monsieur ?

— On pourrait dire que oui. Mais pas de livres.

Je revins avec le volume.

— Et que collectionnez-vous, monsieur ?

De nouveau, l'homme ignora ma question et tendit la main pour que je lui donne le volume. Je dus résister à mon envie de le replacer dans la vitrine et de refermer celle-ci à clef. Mon père ne m'aurait pas pardonné d'avoir laissé passer une vente pareille, dans la situation où nous étions.

— Le prix est de trente-cinq pesetas, annonçai-je avant de lui tendre le livre, dans l'espoir que le chiffre le ferait changer d'avis.

Il acquiesça sans sourciller et sortit un billet de cent pesetas de la poche de ce costume qui ne devait pas valoir plus d'un douro. Je me demandai si ce n'était pas un faux billet.

— J'ai bien peur de ne pas pouvoir rendre la monnaie sur un billet de cette importance, monsieur.

Si je n'avais craint de le laisser seul dans la librairie, je l'aurais invité à attendre un moment et me serais précipité vers la banque la plus proche pour changer le billet et m'assurer par la même occasion qu'il était bon.

— Ne vous inquiétez pas. C'est très simple. Vous savez comment on peut vérifier ?

L'inconnu leva le billet pour le placer à contre-jour.

— Observez ce filigrane. Et ces lignes. La texture...

— Vous êtes expert en faux billets ?

— Tout est faux, dans ce monde, jeune homme. Tout sauf l'argent.

Il me mit le billet dans la main et referma mon poing dessus, en forçant sur les phalanges.

— La monnaie, gardez-la en compte pour ma prochaine visite.

— C'est beaucoup d'argent, monsieur. Soixante-cinq pesetas...

— De la mitraille.

— Dans ce cas, je vais vous faire un reçu.

— Je vous fais confiance.

L'inconnu examina le livre d'un air indifférent.

— Il s'agit d'un cadeau. Je vous charge de le remettre en mains propres.

J'hésitai un instant.

— En principe, nous ne faisons pas d'envoi, mais dans ce cas précis c'est avec plaisir que nous nous occuperons personnellement de la livraison, sans frais. Puis-je vous demander si c'est dans Barcelone ou... ?

— C'est ici même, dit-il.

— Souhaitez-vous ajouter une dédicace ou un mot personnel avant que je l'enveloppe ?

Le visiteur ouvrit le livre à la page du titre avec difficulté. Je remarquai alors que sa main gauche était postiche, en porcelaine peinte. Il sortit un stylo et écrivit quelques mots. Il me rendit le livre et fit demi-tour. Je l'observai pendant qu'il boitait vers la porte.

— Seriez-vous assez aimable pour m'indiquer le nom et l'adresse de la personne à qui nous devons faire la livraison ? demandai-je.

— Tout est dedans, dit-il sans se retourner.

J'ouvris le livre et cherchai la page où l'inconnu avait laissé son écriture :

Pour Fermin Romero de Torres, qui est revenu d'entre les morts et détient les clefs du futur.

13

J'entendis à ce moment la sonnette et, lorsque je levai la tête, l'inconnu avait disparu.

Je me précipitai vers le seuil. Le visiteur s'éloignait en claudiquant, pour se confondre avec les silhouettes qui traversaient le voile de brume bleutée balayant la rue Santa Ana. J'étais sur le point de l'appeler, puis je me mordis la langue. Le plus facile aurait été de le laisser partir, sans plus, cependant l'instinct, ainsi que mon manque de prudence et de sens pratique bien connu furent les plus forts.

4.

J e mis l'écriteau «Fermé» et tournai la clef dans la serrure, décidé à suivre l'inconnu dans la foule. Je savais que si mon père revenait et découvrait que j'avais abandonné mon poste — pour une fois qu'il me laissait seul en plein milieu de cette pénurie de ventes —, j'aurais droit à une réprimande, néanmoins je trouverais bien une excuse en chemin. Je préférais affronter l'irritation de mon père plutôt que de ravaler le malaise physique que m'avait causé ce sinistre personnage et ne pas connaître avec précision la nature de ses liens avec Fermín.

Un libraire de profession a peu d'occasions d'apprendre sur le terrain l'art délicat de la filature. Sauf si la majorité de ses clients appartiennent à la catégorie des mauvais payeurs, ces rares occasions relèvent du catalogue des romans policiers bon marché qui se trouvent sur ses rayons. L'habit ne fait pas le moine, mais le crime, ou sa présomption, fait le détective, et particulièrement le détective amateur.

Pendant que je suivais l'inconnu en direction des Ramblas, je me remémorai quelques notions de base : par exemple laisser une bonne cinquantaine de mètres entre nous, me camoufler derrière quelqu'un de plus gros que moi, et toujours prévoir une cachette rapide sous un porche ou dans un magasin au cas où l'objet de ma filature s'arrêterait pour jeter à l'improviste un coup d'œil derrière lui. Arrivé sur les Ramblas, l'inconnu emprunta l'allée centrale en mettant le cap sur le port. L'allée était ornée des traditionnelles décorations de Noël et de nombreux commerces avaient égayé leurs vitrines de lumières, d'étoiles et d'anges censés annoncer une prospérité qui, selon la radio, ne pouvait qu'être absolument certaine.

Dans ces années, Noël conservait encore une certaine atmosphère de magie et de mystère. La lumière poudroyante de l'hiver, le regard et l'haleine des gens qui vivaient entre ombre et silence conféraient à cette décoration un léger parfum de vérité qui pouvait encore illusionner les enfants et ceux qui avaient appris à oublier.

Pour cette raison, peut-être, il me parut encore plus évident qu'il n'y avait dans tout ce déploiement pas de personnage moins évocateur de Noël ni moins à sa place que l'étrange objet de ma filature. Il boitait lentement et s'arrêtait souvent devant les étalages des vendeurs d'oiseaux ou des fleuristes pour admirer des perruches ou des roses comme s'il n'en avait jamais vu. À plusieurs reprises, il s'approcha des kiosques à journaux qui ponctuaient les Ramblas et s'attarda à contempler les couvertures des quotidiens et des magazines, ou à faire tourner les présentoirs de cartes postales. On aurait cru qu'il n'était jamais venu là : il se comportait tel un enfant ou un touriste, à cette différence près que les enfants et les touristes ont cet air d'innocence des passants qui ne connaissent pas les lieux où ils marchent, alors que cet individu respirait tout sauf l'innocence, même nanti de la bénédiction de l'enfant Jésus dont il croisa la statue à la hauteur de l'église de Bethléem.

À ce moment il s'arrêta, apparemment captivé par un cacatoès au plumage rose pâle qui le guignait du coin de l'œil depuis une des boutiques d'animaux situées à l'entrée de la rue Puertaferrisa. L'inconnu s'approcha de la cage comme il l'avait fait de la vitrine de la librairie et chuchota quelques mots au cacatoès. L'oiseau, un spécimen à grosse tête de la taille d'un poulet, avec des plumes luxu-riantes, survécut aux exhalaisons sulfuriques de l'inconnu et s'appliqua à suivre avec beaucoup de concentration, clairement intéressé, ce que lui débitait son visiteur. Aucun doute n'était possible : le cacatoès hochait régulièrement la tête en signe d'approbation et, visiblement excité, héris-sait sa crête de plumes roses.

Après quelques minutes, l'inconnu, satisfait de son échange ornithologique, reprit sa route. Trente secondes ne s'étaient pas écoulées quand, en passant devant l'oi-sellerie, j'assistai à un début d'agitation ; le propriétaire, affolé, se hâtait de recouvrir la cage d'une capuche en toile, car l'oiseau s'était mis à répéter, avec une diction parfaite, ces deux vers : *Franco, fripouille, t'as perdu tes couilles,* dont l'origine ne faisait aucun doute. En tout cas l'inconnu faisait preuve d'un certain sens de l'humour et de convictions à haut risque, ce qui, à l'époque, était aussi rare que les jupes au-dessus du genou.

Distrait par cet incident, je crus l'avoir perdu de vue, mais je retrouvai bientôt sa silhouette devant la vitrine de la bijouterie Bagués. Je m'avançai subrepticement jusqu'à l'une des baraques d'écrivain public qui flanquaient l'en-trée du palais de la Vice-Reine et l'observai tout à loisir. Ses yeux étincelaient comme des rubis, et le spectacle de l'or et des pierres précieuses derrière la vitre à l'épreuve des balles semblait avoir éveillé en lui une jouissance que même une ribambelle de girls de La Criolla dans ses années de gloire n'aurait pu lui procurer.

— Une lettre d'amour, une requête, une demande à une personne haut placée de votre choix, une carte de vœux pour les parents au village, jeune homme ?

Le copiste résidant dans la baraque dont il avait fait sa tanière avait passé sa tête dans le guichet comme s'il s'agis-sait d'un prêtre dans un confessionnal et me regardait dans l'espoir que je fasse appel à ses services. La pancarte sur le volet annonçait :

Oswaldo Darío de Mortenssen

Homme de lettres et Penseur.
Rédactions de lettres d'amour, requêtes,
testaments, poèmes, insultes, félicitations,
prières, faire-part, hymnes, mémoires, suppliques,
instances et compositions en tout genre,
dans tous les styles et toutes les métriques.
Dix centimes la phrase (rimes en sus).
Prix spéciaux aux veuves, mutilés et mineurs.

— Qu'en pensez-vous, jeune homme? Une lettre d'amour comme celles qui font que les filles en âge de se marier mouillent leurs culottes avec les effluves de leur désir? Je vous ferai un prix spécial, rien que pour vous.

Je lui montrai mon alliance. Impavide, l'écrivain Oswaldo haussa les épaules.

— Nous sommes aux temps modernes, argumenta-t-il. Si vous saviez le nombre d'hommes et de femmes mariés qui passent ici...

Je relus la pancarte, qui évoquait en moi un écho familier que je ne parvenais pas à situer.

— Votre nom me dit quelque chose...

— J'ai connu des temps meilleurs. C'est peut-être pour ça.

— C'est votre vrai nom?

— *Nom de plume.* Un artiste a besoin d'un nom à la hauteur de sa position. Sur mon acte de naissance, je m'appelle Jenaro Rebollo, mais avec un nom pareil, qui va vous confier la rédaction de ses lettres d'amour?... Alors, que répondez-vous à la promotion du jour? D'accord pour une lettre de passion et de désir torride?

— Une autre fois.

Le copiste se résigna. Il suivit mon regard et fronça les sourcils, intrigué.

— Vous observez le boiteux, pas vrai? laissa-t-il tomber.

— Vous le connaissez?

— Ça doit faire une semaine que je le vois passer tous les jours et s'arrêter là-bas, devant la vitrine de la bijouterie, pour la dévorer des yeux, comme si au lieu de bagues et de colliers elle exposait le derrière de la Bella Dorita.

— Vous lui avez parlé?

— Un de mes camarades lui a mis une lettre au net, l'autre jour : vu qu'il lui manque des doigts...

— C'était qui?

Le copiste m'examina, hésitant, comme s'il craignait de perdre un client en me répondant.

— Luisito. Celui-là, là-bas en face, près de la Casa Beethoven, avec une tête de séminariste.

Je lui offris quelques pièces pour le remercier, mais il les refusa.

— Je gagne ma vie avec ma plume, pas en bavardant. Pour ça, on est déjà suffisamment servi, ici. Si vous avez un jour besoin de quoi que ce soit, grammaticalement parlant, je reste à votre disposition.

Il me donna une carte rédigée dans les mêmes termes que la pancarte.

— Du lundi au samedi, de huit heures du matin à huit heures du soir, précisa-t-il. Oswaldo, soldat du mot à votre service et à celui de votre cause épistolaire.

Je le remerciai de son aide.

— Votre oiseau s'en va, me prévint-il.

Je me retournai et vis l'inconnu reprendre son chemin. Je me hâtai de le suivre le long des Ramblas, jusqu'à l'entrée du marché de la Boquería, où il s'arrêta pour contempler le spectacle des étals et des travailleurs qui entraient et sortaient en chargeant et déchargeant toutes sortes de denrées. Il clopina jusqu'au comptoir du café Pinocho et se hissa sur un tabouret avec difficulté mais enthousiasme. Pendant une demi-heure, il s'efforça de consommer les délices que lui servait le benjamin de la maison, Juanito, toutefois j'eus l'impression que sa santé ne lui permettait guère de faire des exploits et qu'il mangeait surtout avec les yeux, comme si commander des tapas et des amuse-gueules auxquels il pouvait à peine goûter lui rappelait des temps meilleurs. Ne pouvant flatter son palais, il se contentait de se souvenir. Finalement, résigné à son abstinence gastronomique et à la contemplation religieuse et jouissive de la manière dont les autres dégustaient et se pourléchaient, l'inconnu régla l'addition et poursuivit son périple jusqu'à l'entrée de la rue Hospital où, par les hasards de la géométrie barcelonaise, unique en son genre, convergeaient l'un des plus grands opéras de la vieille Europe et l'un des quartiers à putes les plus chauds et les plus sordides de l'hémisphère nord.

5.

À cette heure, les équipages des navires marchands et des bateaux de guerre ancrés dans le port remontaient les Ramblas dans le but de satisfaire leurs appétits les plus variés. Pour répondre à la demande, l'offre s'était déjà installée au coin de la rue sous la forme d'une compagnie de dames de location qui semblaient avoir derrière elles un impressionnant kilométrage et proposaient des tarifs de prise en charge très abordables. Je détaillai avec appréhension les jupes qui s'ouvraient sur des varices et des pâleurs pourprées dont la seule vision me faisait mal, les visages usés et un air général de dernière parade avant la retraite qui était tout sauf lascif. Il fallait qu'un marin ait passé beaucoup de mois en mer pour mordre à ce genre d'appâts, mais à ma grande surprise l'inconnu s'arrêta pour échanger quelques propos badins avec plusieurs de ces dames malmenées par la vie, comme si elles étaient des beautés de cabarets de luxe, sans avoir l'air de se soucier du nombre de leurs printemps sans fleur. J'entendis l'une d'elles, qui aurait pu passer pour la grand-mère du copiste Oswaldo, lui lancer :

— Hé, mon cœur, viens donc, que je te rajeunisse de vingt ans d'un seul câlin !

Un seul câlin et tu le tues, pensai-je. L'inconnu, prudent, déclina l'invitation.

— Un autre jour, ma belle, répondit-il en s'enfonçant dans le quartier Raval.

Je le filai sur une centaine de mètres, jusqu'à ce qu'il fasse halte devant un porche étroit et obscur, presque devant la pension Europa. Il disparut à l'intérieur et j'attendis une demi-minute avant de lui emboîter le pas.

Je me trouvai devant un escalier sombre qui se perdait dans les entrailles de cet immeuble près de gîter sur bâbord et, compte tenu de la puanteur humide et de ses problèmes de canalisations, sur le point de sombrer dans les catacombes du Raval. Dans une sorte de loge à côté de l'entrée, un individu adipeux vêtu d'un maillot de corps, mégot aux lèvres et transistor bloqué sur une émission tauromachique, m'adressa un coup d'œil aussi inquisiteur qu'hostile.

— Vous êtes seul? s'enquit-il, vaguement intrigué.

Pas besoin d'être un lynx pour en déduire que je me trouvais aux portes d'un établissement de location de chambres à l'heure et que la seule note discordante de ma visite était que je n'arrivais pas accompagné d'une des vénus de bazar qui patrouillaient dans la rue.

— Si vous voulez, je vous envoie une fille, proposa-t-il en préparant le nécessaire, serviette, carré de savon et ce que je devinai être un préservatif ou quelque autre article de prophylaxie *in extremis*.

— En fait, je voulais juste vous poser une question, commençai-je.

Le portier prit un air écœuré.

— Ça fait vingt pesetas la demi-heure, et la gonzesse, c'est vous qui la payez.

— C'est tentant. Peut-être un autre jour. Ce que je voulais vous demander, c'est si vous n'avez pas vu monter un monsieur, il y a quelques minutes. Pas jeune. Pas très en forme. Il venait seul. Sans gonzesse.

Le portier fronça les sourcils. Son regard me fit passer

instantanément de l'état de client à celui de vulgaire casse-couilles.

— J'ai vu personne. Foutez le camp avant que j'appelle le Tonet.

Je supposai que le Tonet ne devait pas être un personnage amical. Je déposai les quelques pièces qui me restaient sur le comptoir et adressai un sourire conciliateur au portier. L'argent disparut dans les mains ornées de doigtiers en plastique du portier comme un insecte happé par la langue d'un caméléon. Ni vu ni connu.

— Qu'est-ce que vous voulez savoir ?

— Est-ce que le monsieur dont j'ai parlé habite ici ?

— Il loue une chambre depuis une semaine.

— Vous savez comment il s'appelle ?

— Il a payé un mois d'avance, alors je lui ai pas demandé.

— Vous savez d'où il vient et ce qu'il fait ?...

— Vous êtes pas dans une consultation sentimentale. Ici, les gens qui viennent baiser, on leur pose pas de question. Et celui-là, il baise même pas. Il garde son fric pour autre chose.

Je reconsidérai l'affaire.

— Tout ce que je sais, c'est qu'il sort de temps en temps faire un petit tour. Des fois, il me demande de lui monter une bouteille de vin, du pain et un peu de miel. Il paie bien et il est pas causant.

— Vous êtes sûr de ne pas vous souvenir d'un nom ?

Il hocha la tête négativement.

— Très bien. Merci, et excusez-moi de vous avoir dérangé.

Je m'apprêtais à partir quand le portier me rappela.

— Romero, dit-il.

— Pardon ?

— Je crois qu'il s'appelle Romero ou quelque chose dans le genre...

— Romero de Torres ?

— C'est ça.

— Fermín Romero de Torres? répétai-je, incrédule.

— Exactement. Y avait pas un torero qui s'appelait comme ça avant la guerre? Je me disais que ça me rappelait quelque chose...

6.

Je repris le chemin de la librairie encore plus troublé que je ne l'étais à mon départ. Devant le palais de la Vice-Reine, Oswaldo, l'écrivain public, me salua de la main.

— Vous avez réussi ? demanda-t-il.

Je fis signe que non.

— Essayez avec Luisito, il se souvient peut-être de quelque chose.

J'acquiesçai et me rendis à la baraque de Luisito, lequel était en train de nettoyer son assortiment de plumes. Il me sourit et m'invita à m'asseoir.

— De quoi s'agit-il ? Amour ou travail ?

— C'est votre collègue Oswaldo qui m'envoie.

— Notre maître à tous, déclara d'un ton sentencieux Luisito, qui ne devait pas avoir plus de vingt-cinq ans. Un grand homme de lettres dont le monde n'a pas reconnu la valeur et qui se retrouve ici, en pleine rue, à mettre ses compétences au service de l'analphabète.

— Oswaldo m'a dit que, l'autre jour, vous vous êtes occupé d'un monsieur d'un certain âge, boiteux, passablement abîmé, à qui manquent une main entière et plusieurs doigts de l'autre...

— Je m'en souviens. Je me souviens toujours des manchots. À cause de Cervantès, vous comprenez ?

— Bien sûr. Et pourriez-vous me dire pour quoi il est venu vous voir ?

Luisito s'agita sur sa chaise, gêné du tour qu'avait pris la conversation.

— Écoutez, ici, c'est presque comme un confessionnal. La confidentialité professionnelle prime tout.

— Je m'en rends bien compte. Seulement il s'agit d'une affaire grave.

— Si grave que ça ?

— Suffisamment pour menacer la quiétude de personnes qui me sont très chères.

— Oui, mais...

Luisito tendit le cou et chercha le regard du maître Oswaldo, de l'autre côté de la cour. Oswaldo lui fit un signe d'assentiment, et Luisito se détendit.

— Ce monsieur m'a apporté une lettre qu'il avait écrite et qu'il voulait mettre au propre avec une bonne écriture, parce que sa main...

— Et la lettre parlait de... ?

— C'est difficile de me rappeler, pensez qu'ici nous rédigeons un tas de lettres tous les jours...

— Faites un effort, Luisito. Au nom de Cervantès.

— Je crois, mais je peux confondre avec la lettre d'un autre client, qu'il était question d'une importante somme d'argent que le monsieur manchot allait recevoir ou récupérer, ou quelque chose de ce genre. Et aussi je ne sais quoi à propos d'une clef.

— Une clef.

— C'est ça. Il n'a pas spécifié s'il s'agissait de canalisation, d'arts martiaux ou d'une porte.

Luisito me sourit, visiblement ravi de pouvoir donner un tour aussi spirituel à la conversation.

— Vous vous rappelez encore autre chose ?

Luisito se passa la langue sur les lèvres, réfléchissant.

— Il a dit qu'il trouvait la ville très changée.

— Changée dans quel sens ?

— Je ne sais pas. Changée. Sans morts dans la rue.

— Des morts dans la rue ? Ce sont ses mots ?

— Si ma mémoire ne me trompe pas...

7.

Je remerciai Luisito pour ses informations et pressai le pas, en espérant avoir la chance d'arriver à la librairie avant que mon père revienne de ses courses et découvre mon absence. L'écriteau «Fermé» était toujours sur la porte. J'ouvris, décrochai le panonceau et m'installai derrière la caisse, convaincu qu'aucun client ne s'était présenté durant les quelque quarante-cinq minutes où j'avais été dehors.

À défaut de travailler, je me mis à réfléchir à ce que j'allais faire de l'exemplaire du *Comte de Monte-Cristo* et à la manière d'aborder le sujet avec Fermín quand il serait là. Je ne voulais pas l'alarmer plus que de raison, néanmoins la visite de l'inconnu et ma tentative infructueuse d'élucider ce que celui-ci avait en tête continuaient de m'inquiéter. En toute autre occasion j'aurais rapporté l'événement à Fermín, sans plus, toutefois je pensai que, cette fois, je devais agir avec tact. Il passait par une période d'abattement et était d'une humeur de dogue. J'avais beau tenter de le distraire avec mes pauvres plaisanteries, rien ne lui arrachait un sourire.

— Fermín, n'enlevez pas autant de poussière aux livres, n'oubliez pas que, bientôt, ce ne seront plus les romans à l'eau de rose qui se vendront, mais les romans noirs, lui disais-je, faisant référence aux critiques de l'époque qui s'étaient mis à commenter les histoires de crimes et de châtiments dont nous recevions au compte-gouttes des traductions expurgées.

Fermín, loin de répondre par un sourire de commisération à cette lamentable tentative de l'égayer, en profitait pour se lancer dans une de ses apologies du découragement et de la nausée.

— À l'avenir, tous les romans seront noirs, parce que s'il doit y avoir une couleur dominante dans cette seconde moitié de siècle, ce sera celle de la fausseté et du crime, et ce n'est là qu'un euphémisme.

C'est parti, pensai-je. L'Apocalypse selon saint Fermín Romero de Torres.

— N'essayez pas de me faire gober ça, Fermín. Vous devriez sortir plus souvent au soleil. J'ai lu l'autre jour dans le journal que la vitamine D augmente l'amour du prochain.

— J'ai lu aussi que je ne sais quel bouquin de poèmes d'un protégé de Franco fait florès dans le panorama de la littérature internationale, pourtant on ne le vend dans aucune librairie au-delà de Móstoles.

Quand Fermín se laissait aller au pessimisme organique, le mieux était de rester coi.

— Vous voulez que je vous dise, Daniel ? Il m'arrive de penser que Darwin s'est trompé et qu'en réalité l'homme descend du cochon, parce que chez huit hominidés sur dix il y a un chorizo qui attend d'être découvert, argumentait-il.

— Fermín, je préfère vous entendre exprimer une vision plus optimiste et positive des choses, comme l'autre jour, quand vous avez soutenu qu'aucun individu n'était fondamentalement mauvais, mais qu'il avait seulement peur.

— J'avais dû avoir une baisse de sucre dans le sang. C'était une belle ânerie.

Le joyeux Fermín dont j'aimais me souvenir avait disparu et, à sa place, il semblait y avoir un homme tourmenté par des soucis et des vents mauvais qu'il ne voulait pas partager. Parfois, j'avais l'impression qu'il se réfugiait dans des recoins secrets et que l'angoisse le rongeait de l'intérieur. Il avait perdu du poids et étant donné que tout, chez lui, n'était que cartilage, son aspect ne manquait pas de devenir inquiétant. Je lui en avais fait part deux ou trois fois, mais il niait avoir un quelconque problème et noyait le poisson avec des excuses fallacieuses.

— Ce n'est rien, Daniel. C'est juste que depuis que je me suis mis à suivre la Ligue des champions, ma tension baisse chaque fois que le Barça perd. Un bon morceau de fromage, et me voilà de nouveau fort comme un taureau.

— Vous êtes sûr ? Pourtant vous n'avez jamais assisté à un match de foot de votre vie.

— Ça, c'est ce que vous croyez. Kubala et moi, on a pratiquement grandi ensemble.

— Pourtant vous maigrissez à vue d'œil. Ou vous êtes malade, ou vous ne prenez aucun soin de vous.

En réponse, il exhibait une paire de biceps velus, avec un sourire de vendeur de dentifrice au porte-à-porte.

— Tâtez, tâtez. De l'acier trempé, comme l'épée du Cid.

Mon père attribuait son état à la nervosité liée au mariage et à tout ce qu'il impliquait, y compris la fraternisation avec le curé et la recherche d'un restaurant ou d'une guinguette où organiser le banquet, pourtant je sentais bien que cette mélancolie avait des racines plus profondes. J'en étais donc à hésiter entre lui raconter les événements de la matinée et lui montrer le livre, ou attendre un moment plus propice, quand il apparut à la porte, arborant une figure qui n'aurait pas détonné dans une veillée funèbre. En me voyant, il ébaucha un faible sourire et mima un salut militaire.

— Heureux de vous voir, Fermín. Je pensais que vous ne viendriez pas.

— En passant devant son horlogerie, j'ai été arrêté par M. Federico qui m'a raconté une histoire bizarre selon laquelle M. Sempere aurait été vu dans la rue

Puertaferrisa, fort bien mis et se rendant on ne sait où. M. Federico et cette idiote de Merceditas voulaient savoir s'il s'était dégoté une petite chérie, vu que c'est en ce moment la mode chez les commerçants du quartier, surtout si la jeune personne est du genre à pousser la chansonnette.

— Et que lui avez-vous répondu?

— Que monsieur votre père, dans son veuvage exemplaire, est revenu à un état de virginité primitif qui intrigue puissamment la communauté scientifique et lui a valu un dossier de précanonisation accélérée à l'archevêché. Moi, la vie privée de M. Sempere, je ne la commente avec personne, qu'il s'agisse de proches ou d'inconnus, parce qu'elle ne concerne que lui. Et celui qui tente de me parler gaudriole, je lui flanque une mornifle et qu'il aille se faire voir.

— Vous êtes un chevalier de l'ancien temps, Fermín.

— Celui qui est de l'ancien temps, c'est votre père, Daniel. Entre nous, et vu que ça ne sortira pas de ces quatre murs, une petite fredaine de temps en temps ne lui ferait pas de mal. Depuis que nous ne vendons plus le moindre rogaton, il passe ses journées enfermé dans l'arrière-boutique avec ce livre des morts égyptien.

— C'est le livre de comptes, corrigeai-je.

— C'est du pareil au même. Et pour être franc, depuis des jours je pense que nous devrions l'emmener au Moulin et faire la bringue ensuite parce que, même si dans ces trucs-là le vieux est plus nigaud qu'une paella au chou, je crois qu'une rencontre avec une brave fille qui aurait du sang dans les veines lui ragaillardirait la moelle.

— Et c'est vous qui proposez ça! protestai-je. Elle est vraiment bien bonne! Vous voulez la vérité? Celui qui m'inquiète, c'est vous. Ça fait des jours que vous ressemblez à un cafard niché dans un sac de farine.

— Eh bien, puisque vous voulez tout savoir, ça n'est pas si loin de la vérité telle que je l'envisage, étant donné que, même si le cafard n'a pas la jolie frimousse de cabotin requise par les canons frivoles de cette société de crétins qui nous est échue en partage, nous sommes tous les deux, aussi bien ce malheureux arthropode que moi-même, caractérisés par un inégalable instinct de survie, une voracité inextinguible et une libido féroce que rien ne pourra entamer, fût-elle soumise aux plus hautes radiations.

— Impossible de discuter avec vous, Fermín.

— C'est que j'ai l'esprit dialectique, mon ami, et que je suis prêt à me monter la tête à la moindre hypocrisie ou à la première stupidité que j'entends. Mais votre père est une tendre et délicate petite fleur des champs, et je crois que l'heure est venue d'entrer en jeu avant qu'il se fossilise définitivement.

— De quel jeu parlez-vous, Fermín? Ne me dites pas que vous allez me ménager un rendez-vous avec la Rocíito.

Nous nous retournâmes comme deux collégiens surpris les doigts dans la confiture. Mon père, qui n'avait pas du tout l'air d'une tendre petite fleur des champs, nous observait sévèrement depuis le seuil.

8.

— Et comment êtes-vous au courant, pour la Rocíito ? chuchota Fermín, interloqué.

Dès que mon père eut savouré la peur qu'il nous avait causée, il sourit aimablement et nous adressa un clin d'œil.

— Je me suis peut-être fossilisé, mais j'ai l'oreille fine. L'oreille et la tête. C'est pourquoi j'ai décidé que nous devions faire quelque chose pour revitaliser notre commerce, annonça-t-il. Quant au Moulin, il peut attendre.

Alors, seulement, nous nous rendîmes compte que mon père arrivait chargé de deux sacs volumineux et d'une grande boîte enveloppée dans du papier d'emballage entouré d'une grosse ficelle.

— Tu viens de dévaliser la banque du coin ? hasardai-je.

— Les banques, j'essaie de les éviter le plus possible, parce que, comme le résume fort bien Fermín, normalement ce sont elles qui nous dévalisent. Non, je viens du marché de Santa Lucía.

Fermín et moi échangeâmes un regard d'incompréhension.

— Vous ne m'aidez pas ? Ça pèse affreusement lourd.

Nous procédâmes au déchargement du contenu des sacs sur le présentoir, tandis que mon père dénouait l'emballage de la boîte. Les sacs étaient remplis de petits objets protégés par du papier. Fermín en défit un et resta à en contempler le contenu sans comprendre.

— Et ça, qu'est-ce que c'est? questionnai-je.

— Apparemment, il s'agit d'un bourrin adulte à l'échelle d'un centième, répondit Fermín.

— Quoi?

— Un bourricot, un âne ou un poulain, délicieux quadrupède solipède qui ponctue de son charme et de son assurance les paysages de notre chère Espagne, mais en miniature, comme les petits trains qu'on vend à la Casa Palau, expliqua Fermín.

— C'est un âne en terre cuite, un santon pour la crèche, précisa mon père.

— Quelle crèche?

Pour toute réponse, mon père se borna à ouvrir la boîte en carton pour en extraire une crèche monumentale garnie de petites lumières qu'il venait d'acquérir et que, devinai-je sans mal, il prétendait installer dans la vitrine de la librairie en manière de publicité pour Noël. Pendant ce temps, Fermín avait sorti des bœufs, des chameaux, des cochons, des canards, des rois mages, des palmiers, un saint Joseph et une Vierge Marie.

— Succomber au joug du national-catholicisme et à ses techniques subreptices d'endoctrinement par l'exhibition de figurines et de légendes à l'eau de rose ne me paraît pas la solution, déclara Fermín.

— Ne dites pas de bêtises, Fermín, il s'agit d'une jolie tradition, et les gens adorent voir des crèches à Noël, trancha mon père. La librairie manquait de cette note de couleur et d'allégresse que réclame cette période. Jetez un coup d'œil sur tous les magasins du quartier et vous constaterez qu'en comparaison nous ressemblons à une agence de pompes funèbres. Allons, aidez-moi à arranger la vitrine. Et débarrassez-la de ces volumes de la *Désamortisation* de Mendizábal qui font fuir les plus courageux.

— C'est la fin, murmura Fermín.

À nous trois, nous réussîmes à soulever la crèche et à mettre les santons en position. Fermín collaborait de

46

mauvaise grâce, sourcils froncés et cherchant n'importe quelle excuse pour manifester son opposition au projet.

— Monsieur Sempere, je ne veux pas vous faire de peine, mais cet enfant Jésus est trois fois plus grand que son père putatif et il tient à peine dans le berceau.

— Ce n'est pas grave. Les plus petits étaient tous vendus.

— Le personnage à côté de la Vierge ressemble à un de ces lutteurs japonais qui ont des problèmes de surpoids, des cheveux gominés et un caleçon qui leur cache tout juste les génitoires.

— Ça s'appelle des lutteurs de sumo, précisai-je.

— C'est bien ça, convint Fermín.

Mon père soupira en hochant la tête.

— Et puis regardez ses yeux. On croirait qu'il est possédé.

— Allons, Fermín, taisez-vous et branchez la lumière ! ordonna mon père en lui tendant le fil électrique.

Fermín, dans une démonstration de jongleur, parvint à se glisser sous la table qui portait la crèche et à atteindre la prise, tout au fond.

— Et la lumière fut ! proclama mon père en contemplant avec enthousiasme la nouvelle et resplendissante crèche de Sempere & Fils.

Il ajouta, tout heureux :

— Se renouveler ou mourir.

— Mourir, murmura Fermín.

Une minute d'éclairage officiel ne s'était pas écoulée que déjà une mère tenant un enfant par la main s'arrêtait devant la vitrine pour admirer la chose et, après un instant d'hésitation, entrait dans la librairie.

— Bonjour, dit-elle. Est-ce que vous avez des récits sur la vie des saints ?

— Bien sûr, répondit mon père. Permettez-moi de vous montrer la collection « Petit Jésus de ma vie » qui va certainement ravir vos enfants. Abondamment illustrée par José María Permán. Superbe !

— Oh, quelle chance ! Vous savez, c'est tellement difficile aujourd'hui de trouver des livres avec un message positif, de ceux qui vous font du bien, sans tous ces crimes, ces morts et toutes ces histoires auxquelles on ne comprend rien...

Fermín leva les yeux au ciel. Il était sur le point d'ouvrir la bouche quand je le retins et l'entraînai loin de la cliente.

— Vous avez raison, approuva mon père en me regardant du coin de l'œil et en me faisant signe de tenir Fermín menotté et bâillonné, car pour rien au monde nous ne devions rater cette vente.

Je poussai Fermín dans l'arrière-boutique et m'assurai que le rideau était en place afin de laisser mon père mener tranquillement l'opération.

— Fermín, j'ignore quelle mouche vous a piqué, mais même si cette histoire de crèche ne vous convainc pas – et je respecte votre opinion –, dans la mesure où il s'avère qu'un enfant Jésus de la taille d'un rouleau compresseur et quatre cochons en terre cuite remontent le moral de mon père et, en outre, nous amènent des clients, je vous prie de mettre de côté votre cours d'existentialisme et de faire comme si vous étiez enchanté, au moins pendant les heures d'ouverture.

Fermín soupira et acquiesça, tout honteux.

— Si ce n'est que ça, mon cher Daniel... Pardonnez-moi. Pour rendre votre père heureux et sauver la librairie, je serais prêt si nécessaire à faire le chemin de Compostelle en costume de torero.

— Dites seulement à mon père que la crèche est une bonne idée, manifestez-lui votre accord, et ça suffira.

Fermín acquiesça de nouveau.

— Bien sûr. D'ailleurs, je vais faire des excuses à M. Sempere pour ma mauvaise humeur. En guise d'acte de contrition, je contribuerai à la crèche en y ajoutant un santon, pour lui démontrer que même les grands magasins n'ont pas autant l'esprit de Noël que moi. J'ai un ami dans la clandestinité qui modèle des *caganers,* des petites caricatures de Franco et de son épouse, doña Carmen Polo, avec un tel réalisme que ça vous donne la chair de poule.

— Un agneau ou un roi Balthazar feront aussi bien l'affaire.

— À vos ordres, Daniel. Maintenant, si vous voulez bien, j'ai l'intention de me rendre utile en ouvrant les cartons de la veuve Recasens qui sont là depuis une semaine et se couvrent de poussière.

— Je vous aide ?

— Ne vous inquiétez pas. Vous avez votre travail.

Je l'observai tandis qu'il se dirigeait vers la réserve, au fond de l'arrière-boutique, et endossait sa blouse de travail bleue.

— Fermín, commençai-je.

Il se retourna, empressé. J'hésitai un instant.

— Il s'est passé quelque chose que je voudrais vous raconter.

— Allez-y.

— En fait, je ne sais pas très bien comment l'expliquer. Quelqu'un est venu et vous a demandé.

— Elle était jolie ? s'enquit-il en tentant d'adopter un air futé impuissant à cacher l'ombre d'inquiétude sur ses traits.

— C'était un homme. Passablement abîmé et, en réalité, plutôt bizarre.

— Il a laissé son nom ?

— Non. Mais il a laissé ça pour vous.

Fermín fronça les sourcils. Je lui tendis le livre que le visiteur avait acheté quelques heures plus tôt. Fermín en examina la couverture sans comprendre.

— Est-ce que ce n'est pas le Dumas que nous rangions dans la vitrine et qui valait trente-cinq pesetas ?

Je confirmai.

— Ouvrez-le à la première page.

Fermín obtempéra. À la lecture de la dédicace, il fut pris d'une pâleur subite. Il ferma les paupières un instant, puis me dévisagea en silence. J'eus l'impression de le voir vieillir de cinq ans en cinq secondes.

— Quand il est parti, je l'ai suivi, expliquai-je. Il loge depuis une semaine dans un meublé sordide de la rue Hospital, en face de la pension Europa et, d'après les renseignements que j'ai pu obtenir, il utilise un faux nom ; en réalité, le vôtre : Fermín Romero de Torres. J'ai su par un écrivain public du palais de la Vice-Reine qu'il a fait recopier une lettre où il était question d'une grosse somme d'argent. Est-ce que tout ça a le moindre sens pour vous ?

Fermín n'en finissait pas de se recroqueviller sur lui-même comme si, à chaque mot de mon récit, il encaissait un coup sur la tête.

— Daniel, il est très important que vous ne suiviez plus cet individu ni que vous lui parliez. Ne faites rien. Tenez-vous-en le plus loin possible. Il est très dangereux.

— Qui est cet homme, Fermín ?

Il ferma le livre et le cacha derrière des cartons, sur un rayon. Après avoir jeté un coup d'œil en direction de la boutique et s'être assuré que mon père ne pouvait nous entendre, il se rapprocha et me parla à voix très basse.

— S'il vous plaît, ne racontez rien à votre père ni à personne.

— Fermín...

— Je vous en prie instamment. Au nom de notre amitié.

— Fermín...

— S'il vous plaît, Daniel. Pas ici. Croyez-moi.

J'acceptai à contrecœur et lui montrai le billet de cent avec lequel l'inconnu avait payé. Je n'eus pas besoin de me perdre en explications.

— Cet argent est maudit, Daniel. Donnez-le aux sœurs de la Charité ou à un pauvre que vous verrez dans la rue. Ou, mieux encore, brûlez-le.

Sans rien ajouter, il ôta sa blouse, endossa sa gabardine usée jusqu'à la corde et planta un béret sur cette tête d'allumette qui ressemblait à une poêle à paella fondue ébauchée par Dalí.

— Vous partez déjà?

— Dites à votre père que j'ai eu un imprévu. Vous voulez bien?

— Naturellement, mais...

— Je ne peux pas vous expliquer maintenant, Daniel.

Il agrippa son ventre d'une main comme si ses tripes se nouaient et se mit à gesticuler de l'autre comme s'il voulait attraper au vol des mots qui ne parvenaient pas jusqu'à ses lèvres.

— Fermín, peut-être que si vous me racontiez je pourrais vous aider...

Il hésita un instant, puis fit non en silence et sortit dans le vestibule de l'immeuble. Je le suivis jusqu'au porche et le vis partir sous le crachin, tout petit homme portant le monde sur ses épaules dans la nuit qui tombait, plus noire que jamais, sur Barcelone.

9.

C'est un fait scientifiquement prouvé que tout bébé de quelques mois sait déceler, avec un infaillible instinct, le moment exact du petit matin où ses parents ont réussi à trouver le sommeil pour se mettre à pleurer et leur éviter ainsi de dormir plus de trente minutes d'affilée.

Cette nuit-là, comme toutes les précédentes, le petit Julián se réveilla vers trois heures et n'hésita pas à l'annoncer à pleins poumons. J'ouvris les yeux. Près de moi, baignée d'ombre, Bea s'agita dans ce long réveil qui me permettait de contempler le dessin de son corps sous les draps, et elle émit quelques murmures incompréhensibles. Je résistai à la pulsion naturelle de lui poser un baiser dans le cou et de la libérer de cette interminable chemise de nuit blindée que ma belle-mère, sûrement à dessein, lui avait offerte pour son anniversaire et que, même en y mettant toute la méchanceté du monde, je ne parvenais pas à faire disparaître lors de la lessive.

— Je me lève tout de suite, chuchotai-je en l'embrassant sur le front.

Bea répondit en se mettant la tête sous l'oreiller. Je pris le temps de savourer la courbe de ce dos et de cette douce chute de reins que toutes les chemises du monde ne réussiraient jamais à dompter. Cela faisait presque deux ans que j'étais marié à cette prodigieuse créature et j'étais encore surpris de me réveiller près d'elle en sentant sa chaleur. J'en étais déjà à retirer le drap pour caresser la partie postérieure de sa cuisse veloutée quand Bea me planta ses ongles dans le poignet.

— Non, Daniel, pas maintenant. Le bébé pleure.

— Je savais bien que tu étais réveillée.

— C'est difficile de dormir dans une maison où les mâles ne savent que pleurer ou tripoter le derrière d'une pauvre malheureuse qui n'arrive jamais à enchaîner deux heures de sommeil dans la même nuit.

— Tu ne sais pas ce que tu perds.

Je me levai et parcourus le couloir jusqu'à la chambre de Julián, au fond de l'appartement. Peu après notre mariage, nous nous étions installés au dernier étage de l'immeuble où se trouvait la librairie. M. Anacleto, le professeur qui l'occupait depuis vingt-cinq ans, avait décidé de prendre sa retraite et de regagner sa Ségovie natale pour y écrire des poèmes satiriques à l'ombre de l'aqueduc et y étudier la science du cochon de lait rôti.

Le petit Julián m'accueillit par des pleurs sonores et à haute fréquence qui menaçaient de me crever les tympans. Je le pris dans mes bras et, après avoir flairé ses couches afin de constater que, pour une fois, il n'y avait pas d'urgence de ce côté, je fis tout ce qu'un père novice et doté de bon sens fait en pareil cas : lui chuchoter des bêtises et le faire danser à coups de petits sauts ridicules autour de la chambre. J'en étais là, quand je découvris Bea sur le seuil, en train de me contempler d'un air désapprobateur.

— Donne-le-moi, tu vas le réveiller encore plus.

— Mais puisqu'il ne se plaint pas ! protestai-je en lui tendant le bébé.

Bea le prit dans ses bras et lui murmura une petite chanson, tout en le berçant doucement. Cinq secondes plus tard, Julián cessa de pleurer et ébaucha ce sourire de béatitude que sa mère parvenait toujours à lui arracher.

— Va-t'en, chuchota Bea. Je n'en ai pas pour longtemps.

Expulsé de la chambre, et après avoir clairement fait la preuve de mon inaptitude dans l'art de m'occuper de bébés en âge de marcher à quatre pattes, je retournai dans notre chambre et me recouchai en sachant que je ne fermerais plus l'œil de la nuit. Un moment plus tard, Bea s'étendit près de moi en soupirant.

— Je ne tiens plus debout.

Je la pris dans mes bras et nous restâmes silencieux quelques minutes.

— J'ai réfléchi, dit Bea.

Tremble, Daniel, songeai-je. Bea se redressa.

— Quand Julián sera un peu plus grand et que ma mère pourra le garder quelques heures dans la journée, je crois que je travaillerai.

J'acquiesçai.

— Où ?

— À la librairie.

La prudence me conseilla de me taire.

— Je vous serai sûrement utile, ajouta-t-elle. Ton père n'a plus l'âge d'y consacrer autant d'heures et, ne te vexe pas, je pense que je suis meilleure avec les clients que toi et que Fermín. J'ai l'impression que, ces derniers temps, il fait peur aux gens.

— Pour ça, ce n'est pas moi qui te contredirai.

— Qu'est-ce qui lui arrive, le pauvre ? L'autre jour, j'ai rencontré Bernarda dans la rue et elle a éclaté en sanglots. Je l'ai emmenée dans une pâtisserie de la rue Petritxol, je l'ai bourrée de brioches et elle m'a raconté que Fermín était très bizarre. Apparemment, ça fait plusieurs jours qu'il refuse de remplir les papiers de la paroisse pour le mariage. J'ai l'impression qu'il ne veut pas se marier. Il t'a confié quelque chose ?

— J'ai remarqué qu'il était préoccupé, mentis-je. C'est peut-être parce que Bernarda le presse trop...

Bea resta muette.

— Eh bien ? demandai-je finalement.

— Bernarda m'a priée de n'en parler à personne.

— De ne pas parler de quoi?

— Du retard de ce mois.

— Du retard? Elle a laissé s'accumuler le travail?

Bea me dévisagea comme si j'étais un demeuré, et la clarté se fit dans mon esprit.

— Bernarda est enceinte?

— Baisse la voix, tu vas réveiller Julián.

— Elle est enceinte, oui ou non? répétai-je dans un filet de voix.

— Probablement.

— Fermín le sait?

— Elle n'a pas encore voulu le lui dire. Elle a peur qu'il prenne la fuite.

— Fermín ne ferait jamais ça.

— Tous les hommes le feraient s'ils pouvaient.

Je fus surpris par l'âpreté de son ton, qui s'adoucit très vite tandis qu'elle s'appliquait à sourire avec un total manque de conviction.

— Tu nous connais bien mal.

Elle se redressa dans la pénombre et, en silence, ôta sa chemise de nuit, qu'elle laissa tomber par terre. Elle se laissa admirer quelques secondes puis, lentement, se pencha sur moi et me passa la langue sur les lèvres en prenant tout son temps.

— Répète que je vous connais mal, chuchota-t-elle.

10.

Le lendemain, l'effet publicitaire de la crèche illumi-
née confirma son efficacité, et je vis mon père sourire pour la première fois depuis des semaines en
inscrivant plusieurs ventes dans le livre de comptes. Dès
potron-minet, de vieux clients qui n'avaient pas mis les
pieds dans la librairie depuis très longtemps et de nouveaux lecteurs dont c'était la première visite défilèrent.
Je les laissai tous entre les mains expertes de mon père et
j'eus la joie de le voir savourer son plaisir de leur recom-
mander des titres, d'éveiller leur curiosité et de deviner
leurs goûts et leurs intérêts. Cette journée promettait
d'être une bonne journée, comme nous n'en avions pas
connu depuis des semaines.

— Daniel, il faudrait sortir les collections de classiques
illustrés pour enfants. Ceux des éditions Vértice, qui ont
un dos bleu.

— Je crois qu'ils sont à la cave. Tu as les clefs?

— Bea me les a demandées l'autre jour pour descendre
je ne sais quelles affaires du bébé. Je n'ai pas l'impression
qu'elle me les ait rendues. Regarde dans le tiroir.

— Elles n'y sont pas. Je monte un moment les chercher.

Je laissai mon père s'occuper d'un monsieur qui voulait acheter un livre sur les cafés de Barcelone, et allai
dans l'arrière-boutique pour rejoindre l'escalier. L'étage
où nous logions, Bea et moi, était tout en haut et, s'il
était plus lumineux, il impliquait des montées et des des-

centes tonifiantes pour le moral et les muscles. En chemin, je croisai Edelmira, une veuve du troisième qui, après avoir été danseuse, peignait à domicile, pour gagner sa vie, des vierges et des saints. Trop d'années passées sur les planches du théâtre Arnau lui avaient pulvérisé les genoux, et elle avait besoin d'empoigner la rampe à deux mains pour négocier une simple volée de marches, pourtant cela ne l'empêchait pas d'avoir toujours le sourire aux lèvres et quelques mots aimables à la bouche.

— Comment va ta charmante femme, Daniel?

— Pas aussi charmante que vous, madame Edelmira. Je vous aide à descendre?

Comme d'habitude, Edelmira déclina mon offre et me dit de saluer Fermín, qui ne manquait jamais de plaisanter en lui faisant des propositions indécentes quand il la voyait.

L'intérieur de notre appartement sentait encore le parfum de Bea et ce mélange d'odeurs que répandent les bébés et tout ce qui les environne. Bea avait l'habitude de se lever tôt et partait promener Julián dans le superbe landau Jané dont Fermín nous avait fait cadeau et que nous appelions tous « la Mercedes ».

— Bea? appelai-je.

L'appartement était petit et l'écho de ma voix me revint avant même que j'aie refermé la porte. Bea était déjà sortie. Je me plantai dans la salle à manger en tentant de reconstituer le cheminement mental de ma femme afin d'en déduire l'endroit où elle avait dû ranger les clefs de la cave. Bea était beaucoup plus ordonnée et méthodique que moi. Je commençai par chercher dans le tiroir du meuble où elle entassait les reçus, les lettres en attente et la petite monnaie. Puis je passai aux consoles, récipients divers et étagères.

Le deuxième arrêt fut dans la cuisine, où se trouvait une vitrine dans laquelle Bea amassait ordinairement notes et pense-bêtes. Je n'eus pas plus de chance et passai dans la chambre à coucher. Debout devant le lit, je regardai autour de moi dans un esprit analytique. Bea occupait les

58

trois quarts de l'armoire, des tiroirs et des autres meubles de la chambre. Elle donnait pour argument que je m'habillais toujours pareil et qu'un coin de la penderie me suffisait largement. L'ordre systématique de ses tiroirs était d'une sophistication qui me dépassait. Je fus pris d'un sentiment de culpabilité en parcourant les espaces réservés de ma femme, mais, après avoir fouillé tous les meubles, je n'avais toujours pas trouvé les clefs.

Reconstituons les faits, songeai-je. Je me rappelais vaguement que Bea avait dit quelque chose à propos de vêtements d'été qu'elle voulait descendre à la cave. Si ma mémoire ne me trahissait pas, Bea portait ce jour-là le manteau gris que je lui avais offert pour notre premier anniversaire de mariage. Je souris de mes dons de déduction et ouvris l'armoire. Le manteau était là. Si tout ce que j'avais appris en lisant Conan Doyle et ses disciples était correct, les clefs de mon père devaient se trouver dans une de ses poches. Je plongeai les mains dans celle de droite et rencontrai deux pièces de monnaie et quelques bonbons mentholés comme on en donne dans les pharmacies. Je procédai à l'inspection de l'autre poche et j'eus le bonheur de voir se confirmer ma thèse. Mes doigts touchèrent le trousseau de clefs.

Et quelque chose d'autre.

Un papier. Je retirai les clefs et, après avoir hésité, je décidai de sortir aussi le papier. C'était probablement une liste de commissions préparée par Bea.

En l'examinant plus attentivement, je vis qu'il s'agissait d'une enveloppe. Une lettre. Elle était adressée à Beatriz Aguilar et le tampon de la poste datait d'une semaine. Elle avait été envoyée non à l'appartement de la rue Santa Ana, mais chez les parents de Bea. Je la retournai et, quand je lus le nom de l'expéditeur, les clefs de la cave me tombèrent des mains.

Pablo Cascos Buendía

Je m'assis sur le lit et contemplai cette enveloppe, pris de court. Pablo Cascos Buendía était le fiancé de Bea à l'époque où nous avions commencé à nous fréquenter. Fils d'une riche famille propriétaire de plusieurs chantiers et usines à El Ferrol, ce personnage, que je n'avais jamais pu supporter et qui me le rendait bien, faisait à l'époque son service militaire comme aspirant. Depuis que Bea lui avait écrit pour rompre leur engagement, j'ignorais tout de lui. Jusqu'à aujourd'hui.

Que faisait cette lettre, récente, de l'ex-fiancé de Bea dans la poche de son manteau? L'enveloppe était ouverte, mais pendant une minute les scrupules me retinrent. C'était la première fois que j'espionnais Bea et je fus sur le point de remettre la lettre à sa place. Mon accès de vertu dura encore quelques secondes. Puis tout ce que je pouvais encore ressentir de culpabilité et de honte s'évapora avant d'arriver à la fin du premier paragraphe.

Chère Beatriz,

J'espère que tu vas bien et que tu es heureuse dans ta nouvelle vie à Barcelone. Durant tous ces mois, je n'ai pas reçu de réponse à mes lettres et je m'interroge parfois sur ce que j'ai pu faire pour que tu ne veuilles plus rien savoir de moi. Je sais que tu es une femme mariée avec un enfant et qu'il n'est sans doute pas convenable de t'écrire, mais je dois t'avouer que le temps a beau passer, je ne parviens pas à t'oublier, quoi que je fasse pour ça, et je n'ai pas honte d'admettre que je suis toujours amoureux de toi.

Ma vie aussi a pris un nouveau tour. Il y a un an, j'ai commencé à travailler comme directeur commercial d'une importante maison d'édition. Je me rappelle ce que les livres signifiaient pour toi, et pouvoir travailler dans cette ambiance me fait me sentir plus près de toi. Mon bureau est à Madrid, mais je voyage souvent dans toute l'Espagne pour mon travail.

Je pense à toi constamment, à la vie que nous aurions pu partager, aux enfants que nous aurions pu avoir ensemble... Je me demande tous les jours si ton mari te rend heureuse et si tu ne t'es pas mariée avec lui parce que les circonstances t'y forçaient. Je ne puis croire que la vie modeste qu'il t'offre soit celle que tu désires. Je te connais bien. Nous avons été camarades et amis, et il n'y a jamais eu de secret entre nous. Te souviens-tu de l'après-midi que nous avons passée ensemble sur la plage de San Pol ? Te souviens-tu des projets, des rêves que nous avons partagés, des promesses que nous nous sommes faites ? Avec personne je ne me suis jamais senti aussi bien qu'avec toi. Depuis que nous avons rompu nos fiançailles, j'ai connu quelques filles, pourtant aucune ne peut t'être comparée. Chaque fois que j'embrasse des lèvres je pense aux tiennes, et chaque fois que je caresse une peau je pense à la tienne.

Dans un mois, je viendrai à Barcelone pour visiter les bureaux de la maison d'édition et avoir une série d'entretiens avec le personnel pour une future restructuration de l'entreprise. En réalité, j'aurais pu mener ces démarches par courrier et par téléphone. La raison réelle de mon voyage n'est autre que l'espoir de te rencontrer. Tu penseras sûrement que je suis fou, pourtant je préfère que tu penses ça plutôt que tu croies que je t'ai oubliée. J'arriverai le 20 janvier et descendrai à l'hôtel Ritz sur la Gran Vía. Voyons-nous, je t'en prie, ne serait-ce qu'un moment, pour que tu me permettes de te dire de vive voix tout ce que je garde dans le cœur. J'ai réservé une table pour deux au restaurant de l'hôtel, le 21. Je t'y attendrai. Si tu viens, tu feras de moi l'homme le plus heureux du monde et je saurai que mon rêve de retrouver ton amour n'est pas une fausse espérance.

Je t'aime depuis toujours,

PABLO

Pendant quelques secondes, je restai là, assis sur le lit que j'avais partagé avec Bea à peine quelques heures plus tôt. Je remis la lettre dans l'enveloppe et, en me levant, j'eus l'impression d'avoir reçu un coup de poing à l'estomac. Je courus dans la salle de bains et vomis le café du matin dans le lavabo. Je fis couler de l'eau froide et m'aspergeai la figure. Le visage du Daniel de seize ans dont les mains tremblaient en caressant Bea pour la première fois m'observait depuis le miroir.

11.

Quand je redescendis dans la librairie, mon père m'adressa un coup d'œil inquisiteur et consulta sa montre. Je supposai qu'il se demandait où j'avais pu aller pendant la dernière demi-heure, pourtant il ne pipa mot. Je lui tendis la clef de la cave, en essayant de ne pas croiser son regard.

— Est-ce que tu ne devais pas aller chercher les livres? demanda-t-il.

— Bien sûr. Excuse-moi. J'y vais tout de suite.

Mon père m'observa.

— Ça va, Daniel?

Je le rassurai, feignant d'être étonné de sa question. Avant de lui donner la possibilité de la répéter, je pris le chemin de la cave pour remonter les cartons de livres dont il avait besoin. L'accès au sous-sol se trouvait au fond du vestibule de l'immeuble. Sous la première volée de marches, une porte métallique fermée par un cadenas donnait sur un escalier en spirale qui se perdait dans l'obscurité. Il sentait l'humidité et quelque chose de plus encore qui évoquait la terre battue et les fleurs fanées. Une succession d'ampoules anémiques pendait du plafond en guise d'éclairage et donnait à l'endroit une allure d'abri antiaérien. Une fois en bas, je tâtai le mur à la recherche de l'interrupteur.

Une ampoule jaunâtre s'alluma au-dessus de ma tête et éclaira les contours de ce qui aurait dû n'être qu'un simple débarras mais offrait le spectacle d'une accumulation délirante. Des momies de vieilles bicyclettes sans maître, des tableaux couverts de toiles d'araignées et des cartons empilés sur les étagères en bois blanchi par l'humidité formaient un capharnaüm qui n'invitait pas à rester plus de temps que le strict nécessaire. Et je ne serais pas demeuré à contempler le panorama si je n'avais soudain compris ce qu'il y avait d'étrange dans le fait que Bea soit descendue ici de sa propre initiative au lieu de me prier de m'en charger. Je scrutai ce labyrinthe de vieilleries mises au rancart, m'interrogeant sur les secrets qui pouvaient bien y être cachés.

En prenant conscience de ce que j'étais en train de faire, je soupirai. Les mots de cette lettre s'étaient incrustés dans mon esprit comme des gouttes d'acide. Je me fis la promesse de ne pas commencer à fouiller parmi les cartons, en quête de liasses de lettres parfumées de cet individu. J'aurais trahi ma promesse quelques secondes plus tard, si je n'avais entendu des pas dans l'escalier. Je levai les yeux et me trouvai face à Fermín, qui contemplait la scène d'un air écœuré.

— Ça pue la malemort, ici! Est-ce qu'on n'aurait pas laissé la mère de Merceditas embaumée au milieu des patrons de couture dans un de ces cartons?

— Puisque vous êtes là, aidez-moi à monter des livres que réclame mon père.

Fermín retroussa ses manches pour me prêter mainforte. Je lui indiquai deux cartons portant la mention des éditions Vértice et nous en prîmes chacun un.

— Daniel, vous faites une tête pire que la mienne. Il vous est arrivé quelque chose?

— Ça doit être les émanations de la cave.

Fermín ne se laissa pas leurrer par ma tentative de plaisanter. Je posai le carton par terre et m'assis dessus.

— Je peux vous poser une question, Fermín?

Il lâcha son carton et s'en fit, lui aussi, un tabouret.

Je le dévisageai, désireux de parler et pourtant incapable de desserrer les lèvres.

— Des problèmes conjugaux ? s'enquit-il.

Je rougis en constatant à quel point mon ami me connaissait bien.

— Quelque chose comme ça.

— Mme Bea, qu'elle soit bénie entre toutes les femmes, n'est-elle pas assez d'attaque, ou est-ce qu'au contraire elle l'est trop et vous avez du mal à assurer le service minimum ? Les femmes, quand elles ont un bébé, c'est comme si on leur avait largué dans le sang une bombe atomique d'hormones. Un des grands mystères de la nature est qu'il est impossible de savoir comment elles ne deviennent pas folles dans les vingt secondes qui suivent l'accouchement. Je sais tout ça parce que l'obstétrique, après le vers libre, est une de mes marottes.

— Non, non, ce n'est pas ça. Pas du tout.

Fermín m'examina, intrigué.

— Je dois vous prier de ne répéter à personne ce que je vais vous confier.

Fermín se signa solennellement.

— Il y a un moment, tout à fait par hasard, j'ai trouvé une lettre dans la poche du manteau de Bea.

La pause que j'observai ne parut pas l'impressionner.

— Et... ?

— Et la lettre était de son ex-fiancé.

— Le troufion ? Est-ce qu'il n'était pas parti à El Ferrol del Caudillo pour entamer une carrière spectaculaire de fils à papa ?

— C'est ce que je croyais. En réalité, il s'avère que, dans ses moments de loisir, il écrit des lettres d'amour à ma femme.

Fermín se leva d'un bond.

— Le foutu salopard ! aboya-t-il, plus furieux que moi.

Je sortis la lettre de ma poche et la lui tendis. Fermín la flaira avant de l'ouvrir.

— Est-ce que c'est moi qui sens comme ça, ou est-ce que ce freluquet écrit sur du papier parfumé?

— Je n'avais pas remarqué, pourtant ça ne m'étonnerait pas. C'est tout à fait son genre. Et ce n'est rien. Lisez, lisez...

Fermín lut en grommelant et protestant tout bas.

— Non seulement ce type est méprisable, mais il est d'un parfait mauvais goût. Rien que son «quand j'embrasse des lèvres» devrait lui valoir de passer la nuit en tôle.

Je repris la lettre, tête basse.

— Vous ne soupçonnez tout de même pas Mme Bea! s'exclama Fermín, incrédule.

— Non, bien sûr que non.

— Menteur.

Je me levai pour tourner en rond dans la cave.

— Et vous, qu'est-ce que vous feriez si vous trouviez une lettre comme celle-là dans la poche de Bernarda?

Fermín prit son temps pour réfléchir.

— Moi? Je ferais confiance à la mère de mon enfant.

— Confiance?

Fermín confirma.

— Ne vous vexez pas, Daniel, mais vous avez le problème classique des hommes qui se marient avec une femme trop belle. Mme Bea, qui est et restera toujours pour moi une sainte, est, comme on dit vulgairement, un plat de choix à s'en lécher les doigts. En conséquence, il est prévisible que des crapules, des misérables, des Tarzan de piscine et toute une ribambelle de petits coqs de basse-cour lui courent derrière. Avec ou sans mari et enfant, parce que ça, le singe habillé que nous avons la faiblesse d'appeler *Homo sapiens* s'en fiche complètement. Vous ne vous en rendez pas compte, pourtant je suis prêt à jouer mes chaussettes que votre sainte épouse attire autant de mouches qu'un pot de miel à la foire d'avril. Ce crétin est juste un charognard qui lance des pierres pour voir comment on va réagir. Croyez-en ma vieille expérience, une femme comme elle, qui a la tête sur les épaules, les repère de loin.

— Vous êtes sûr?

— Vous me vexez en en doutant. Vous croyez vraiment que si Mme Beatriz voulait faire le grand saut, elle aurait besoin d'attendre qu'un gommeux de bas étage lui envoie ce genre de boniments qui sentent le réchauffé? Si elle n'a pas dix galants sur ses talons chaque fois qu'elle sort promener le bébé et sa jolie frimousse, c'est que le monde n'est plus ce qu'il était. Faites-moi confiance, je sais de quoi je parle.

— À vrai dire, je ne suis pas sûr que ce soit une consolation.

— Écoutez, vous n'avez qu'une chose à faire, c'est de remettre cette lettre dans la poche du manteau où vous l'avez trouvée et de tout oublier. Et ne vous avisez pas d'en parler à votre femme.

— C'est ce que vous feriez?

— Ce que je ferais, ce serait d'aller trouver cet animal et de lui flanquer un bon coup de pied dans les bijoux de famille pour que, quand il voudra les sortir, il n'ait plus qu'une envie : vivre en ermite. Mais moi, c'est moi. Et vous, c'est vous.

Je sentis l'angoisse se répandre en moi telle une goutte d'huile dans de l'eau claire.

— Je ne suis pas sûr que vous m'ayez aidé, Fermín.

Il haussa les épaules et, après avoir soulevé le carton, disparut dans l'escalier.

Nous passâmes le reste de la journée occupés aux tâches de la librairie. Après deux heures à tourner et retourner dans ma tête cette histoire de lettre, j'en arrivai à la conclusion que Fermín avait raison. Ce que je ne parvenais pas à voir clairement, c'était en quoi il avait raison : était-ce quand il m'exhortait à faire confiance et à me taire, ou quand il m'encourageait à aller trouver ce sale type et à lui retoucher le portrait? Le calendrier au-dessus de la caisse indiquait que nous étions le 20 décembre. J'avais un mois pour me décider.

La journée fut scandée par des ventes modestes mais constantes. Fermín ne perdait pas une occasion de chanter à mon père les louanges de la crèche et de le féliciter d'y avoir mis ce petit Jésus au physique de lanceur de poids basque.

— Comme je vois que vous êtes devenu un as de la vente, je vais dans l'arrière-boutique pour dépoussiérer et préparer la collection que la veuve nous a laissée l'autre jour en dépôt.

J'en profitai pour suivre Fermín et fermai le rideau derrière nous. Fermín me dévisagea d'un air quelque peu inquiet. Je lui adressai un sourire conciliateur.

— Si vous voulez, je vous aide.

— À votre guise, Daniel.

Pendant quelques minutes nous procédâmes au déballage des cartons et à leur tri en plusieurs piles, par genre, état et format. Fermín ne desserrait pas les lèvres et évitait mon regard.

— Fermín...

— Je vous répète que vous ne devriez pas vous faire de souci. Votre épouse n'a rien d'une femme légère, et le jour où elle voudra vous laisser en plan, Dieu fasse que ça n'arrive jamais, elle vous le dira bien en face et sans intrigue de roman-feuilleton.

— Message reçu, Fermín. Mais il ne s'agit pas de ça.

Fermín leva les yeux, l'air inquiet.

— J'ai pensé qu'aujourd'hui, après la fermeture, nous pourrions aller dîner ensemble, commençai-je. Pour parler de nos affaires. De la visite de l'autre jour et de ce qui vous préoccupe, car je sens bien que c'est lié.

Fermín posa le livre qu'il était en train de nettoyer sur la table. Il soupira.

— Je me suis fourré dans une sale affaire, Daniel, finit-il par murmurer. Une sale affaire dont je ne sais pas comment me tirer.

Je posai la main sur son épaule. Sous la blouse, on ne sentait plus que de la peau sur des os.

— Alors permettez-moi de vous aider. À deux, on y voit plus clair.

Il m'adressa un coup d'œil perdu.

— Vous savez bien que, vous et moi, nous nous sommes tirés de situations bien pires, insistai-je.

Il sourit tristement, peu convaincu de mon diagnostic.

— Vous êtes un bon ami, Daniel.

Bon, oui, mais pas la moitié de ce qu'il méritait, pensai-je.

12.

À cette époque, Fermín logeait encore dans la vieille pension de la rue Joaquín Costa, où je savais de bonne source que les autres locataires, en étroite et secrète collaboration avec la Rocíito et ses sœurs d'armes, lui préparaient un enterrement de vie de garçon qui s'annonçait historique. Fermín m'attendait sous le porche quand je passai le prendre, un peu après neuf heures.

— Je n'ai pas vraiment faim, me prévint-il en me voyant.

— Dommage, parce que j'avais pensé que nous pourrions aller au Can Lluis. Ce soir, il y a un *cap y pota* avec des pois chiches.

— Bon, c'est vrai que rien ne presse, convint Fermín. Un bon repas est comme une jeune fille en fleur : il faut être un goujat pour ne pas savoir le savourer.

Prenant pour sujet de notre conversation cette perle choisie au rayon des aphorismes de l'illustre Fermín Romero de Torres, nous descendîmes en flânant vers le restaurant, l'un des préférés de mon ami à Barcelone et dans le monde entier. Le Can Lluis était situé au 49 de la rue de la Cera, au seuil du Raval. En retrait, d'apparence modeste, l'air un peu bohème et imprégné des mystères de la vieille Barcelone, le Can Lluis proposait une cuisine délicieuse, à des prix que même Fermín ou moi pouvions nous offrir. Le soir, en semaine, toute une clientèle du monde du théâtre, des lettres, et autres personnes de bonne et mauvaise vie s'y retrouvaient pour festoyer.

En entrant, nous trouvâmes, dînant au comptoir et feuilletant le journal, un habitué de la librairie, le professeur Alburquerque, érudit local, enseignant à la faculté des lettres ainsi que fin critique et courriériste, dont c'était là la seconde maison.

— Vous vous faites bien rare, professeur, lui dis-je en passant près de lui. J'espère que vous nous rendrez bientôt visite pour réapprovisionner votre bibliothèque, vu que l'homme ne vit pas seulement des faire-part de *La Vanguardia*.

— J'aimerais bien. Mais prenez-vous-en aux mémoires de mes étudiants. À lire le tas de sottises dont m'abreuvent ces blancs-becs de la génération montante, je suis en train de faire un début de dyslexie.

À cet instant, un serveur lui apporta le dessert : un superbe flan qui oscillait en répandant des larmes de sucre brûlé et une délicate odeur de vanille.

— Quelques coups de cuillère dans cette merveille vous les feront oublier, dit Fermín, tant elle ressemble au buste de doña Margarita Xirgu, avec tout ce caramel qui ballotte.

Le docte professeur contempla son dessert à la lumière de cet apophtegme et approuva, enchanté. Nous laissâmes le savant en train de savourer les charmes sucrés de la diva de la scène et nous nous réfugiâmes à une table d'angle dans la salle à manger du fond où, peu après, on nous servit un plantureux repas que Fermín engloutit avec une voracité et une impétuosité quasi industrielles.

— Je croyais que vous n'aviez pas d'appétit, laissai-je tomber.

— C'est le muscle qui réclame des calories, expliqua Fermín, tout en faisant reluire son assiette avec le dernier morceau de pain qui restait dans la corbeille.

J'avais surtout l'impression qu'il était en proie à une terrible anxiété.

Pere, le serveur qui s'occupait de nous, s'approcha pour nous demander si tout allait bien et, à la vue des ravages commis par Fermín, lui tendit la carte des desserts.

— Un petit dessert pour terminer le travail, maître?

— Eh bien, vous savez, je ne refuserais pas une paire de ces flans maison, si possible avec une cerise bien rouge sur chacun.

Pere acquiesça et nous raconta qu'en entendant la manière dont Fermín avait discouru sur la consistance et le tremblement métaphorique de ces flans, le patron avait décidé de les rebaptiser *margaritas*.

— Pour moi, un café crème suffira, précisai-je.

— Le dessert et le café sont offerts par la maison, annonça Pere.

Nous levâmes nos verres de vin en direction du patron, qui, derrière le comptoir, conversait avec le professeur Alburquerque.

— Les braves gens, murmura Fermín. On finit parfois par oublier que tous, dans ce monde, ne sont pas des salauds.

Je fus surpris par la dureté et l'amertume de son ton.

— Pourquoi dites-vous ça, Fermín?

Mon ami haussa les épaules. Bientôt arrivèrent les deux flans, qui se balançaient, tentateurs, avec deux cerises luisantes sur le dessus.

— Je vous rappelle que vous vous mariez dans quelques semaines. Et après, fini les marguerites! plaisantai-je.

— Pauvre de moi! s'écria Fermín. Je suis vraiment une bonne poire. Plus rien à voir avec celui que j'ai été.

— Aucun de nous n'est plus ce qu'il a été.

Fermín dégusta ses deux flans avec délice.

— Je ne sais plus où j'ai lu que, au fond, nous n'avons jamais été celui que nous croyons, et que nous ne faisons que nous souvenir de ce qui ne s'est jamais passé..., déclara-t-il.

— C'est le début d'un roman de Julián Carax.

— C'est vrai. Où peut bien se trouver aujourd'hui notre ami Carax ? Vous ne vous posez jamais la question ?

— Si, tous les jours.

Fermín sourit en se rappelant nos aventures de jadis. Il dirigea un doigt inquisiteur vers ma poitrine.

— Ça vous fait toujours souffrir ?

Je défis deux boutons de ma chemise et lui montrai la cicatrice que la balle de l'inspecteur Fumero avait laissée quand elle m'avait traversé la poitrine en ce jour lointain, dans les ruines de l'Ange de la brume.

— Par moments.

— Les cicatrices ne s'effacent jamais, non ?

— Elles vont, elles viennent, à mon avis. Fermín, regardez-moi dans les yeux.

Le regard fuyant de Fermín se posa sur le mien.

— Vous allez me dire ce qui vous arrive ?

Il hésita quelques secondes.

— Vous savez que Bernarda attend un enfant ? demanda-t-il.

— Non, mentis-je. C'est ça qui vous préoccupe ?

Fermín fit non en terminant le second flan et en avalant le sucre caramélisé qui restait.

— Elle n'a pas encore voulu me l'avouer, la pauvre, parce qu'elle est inquiète. Pourtant ça va faire de moi l'homme le plus heureux du monde.

Je le dévisageai attentivement.

— Eh bien, à franchement parler, quand je vous vois en ce moment et de tout près, vous n'avez vraiment pas la tête d'un homme heureux. C'est à cause du mariage ? Ça vous embête de passer par l'église et tout le saint-frusquin ?

— Non, Daniel. Je vous assure que je m'en fais une joie, même s'il faut supporter les curés. Avec Bernarda, je me marierais tous les jours.

— Alors, quoi ?

— Vous savez quelle est la première chose qu'on vous demande quand vous voulez vous marier ?

74

— Votre nom, répondis-je sans réfléchir.

Fermín acquiesça lentement. Ça ne m'était pas venu à l'esprit jusqu'à maintenant. Soudain, je compris l'inquiétude de mon ami.

— Vous vous rappelez ce que je vous ai raconté il y a des années, Daniel ?

Je m'en souvenais parfaitement. Durant la guerre civile, et grâce aux sinistres services de l'inspecteur Fumero, qui, à cette époque, œuvrait pour les communistes avant de mettre ses qualités de tortionnaire au service des fascistes, mon ami avait atterri en prison, où il avait été sur le point de perdre la raison et la vie. Lorsqu'il avait réussi à en sortir miraculeusement vivant, il avait décidé d'adopter une nouvelle identité et d'effacer son passé. Moribond, il avait emprunté un nom qu'il avait lu sur une vieille affiche annonçant une corrida à la Monumental. Ainsi était né Fermín Romero de Torres, un homme qui inventait son histoire tous les jours.

— C'est pour ça que vous ne vouliez pas remplir les formulaires de la paroisse, dis-je. Parce que vous ne pouvez pas user du nom de Fermín Romero de Torres.

Fermín confirma.

— Écoutez, je suis sûr que nous pouvons trouver un moyen de vous obtenir des nouveaux papiers. Vous vous rappelez le lieutenant Palacios, qui a quitté la police ? Il donne aujourd'hui des cours d'éducation physique dans un collège de la Bonanova. Il lui est arrivé de passer à la librairie et, un jour que nous bavardions, il m'a raconté qu'il existait un marché clandestin de nouvelles identités pour ceux qui rentraient au pays après avoir passé des années à l'étranger. Il connaît un individu dont l'atelier était situé près des chantiers navals, qui a des relations dans la police et qui, pour cent pesetas, vous procure une nouvelle carte d'identité, dûment enregistrée au ministère.

— Je suis au courant. Il s'appelait Heredia. Un artiste.

— Il s'appelait ?

— On a trouvé son corps flottant dans le port voici quelques mois. Apparemment, il serait tombé d'une barque en faisant une promenade jusqu'au brise-lames. Avec les mains attachées dans le dos. C'est l'humour du *fascio*.

— Vous le connaissiez?

— Il m'avait rendu service.

— Dans ce cas, puisque vous avez des papiers au nom de Fermín Romero de Torres...

— Heredia me les a procurés en 1939, vers la fin de la guerre. À l'époque la chose était facile, c'était une vraie pétaudière, et quand les gens se sont rendu compte que le bateau faisait naufrage, pour deux douros ils vous auraient vendu toute une généalogie.

— Alors pourquoi ne pouvez-vous pas utiliser ce nom?

— Parce que Fermín Romero de Torres est mort en 1940. C'étaient des temps terribles, Daniel, bien pires que maintenant. Il n'a pas duré un an, le pauvre.

— Il est mort? Où? Comment?

— À la prison de Montjuïc. Dans la cellule numéro 13.

Je me rappelai l'inscription que l'inconnu avait laissée pour Fermín dans l'exemplaire du *Comte de Monte-Cristo* :

Pour Fermín Romero de Torres, qui est revenu d'entre les morts et détient les clefs du futur.

13

— Le soir où je vous ai raconté mon histoire, je n'en ai dit qu'une partie, Daniel.

— Je croyais que vous aviez confiance en moi.

— À vous, je confierais ma vie les yeux fermés. Ce n'est pas ça. Si je ne vous ai raconté qu'une partie de l'histoire, c'est pour vous protéger.

— Me protéger? Moi? De quoi?

Fermín baissa les yeux, accablé.

— De la vérité, Daniel... de la vérité.

D'entre les morts

1.

Barcelone, 1939

Les nouveaux prisonniers étaient amenés de nuit, dans des voitures ou des fourgonnettes noires qui traversaient silencieusement la ville depuis le commissariat de la rue Layetana, sans que personne s'en aperçoive ou veuille s'en apercevoir. Les véhicules de la Brigade sociale empruntaient la vieille route qui escaladait la montagne de Montjuïc, et plus d'un racontait qu'en voyant au sommet la silhouette du fort se découper contre les nuages noirs qui rampaient depuis la mer, il avait pensé que jamais il n'en ressortirait vivant.

La forteresse était ancrée au plus haut des rochers, suspendue entre la mer à l'est, le tapis d'ombre déployé par Barcelone au nord, et la cité infinie des morts au sud — le vieux cimetière de Montjuïc, dont la puanteur, montant le long des rochers, s'infiltrait à travers les fissures des murs et les barreaux des cellules. En d'autres temps, la forteresse avait servi à tenir la ville sous le feu de ses canons, mais à peine quelques mois après la chute de Barcelone en janvier et la défaite finale en avril, la mort y avait fait silencieusement son nid, et les Barcelonais, pris au filet de la plus longue nuit de leur histoire, préféraient ne pas lever les yeux vers le ciel afin de ne pas découvrir les contours de la prison en haut de la montagne.

En entrant, les prisonniers se voyaient assigner par la police politique un numéro, presque toujours celui de la cellule qu'ils allaient occuper et où, probablement, ils allaient mourir. Pour la plupart des «locataires», comme certains gardiens aimaient les appeler, le voyage au fort n'était qu'un aller simple. La nuit où le prisonnier numéro 13 arriva à Montjuïc, il pleuvait très fort. Des petites veines d'eau noircie saignaient le long des murs de pierre et l'air sentait la terre mouillée. Deux officiers le conduisirent dans une pièce sommairement meublée d'une table en métal et d'une chaise. Une ampoule nue pendait du plafond et clignotait quand le courant du générateur faiblissait. Il attendit là environ une demi-heure, debout, les vêtements trempés, sous la garde d'une sentinelle armée d'un fusil.

Finalement, des pas se firent entendre, et la porte s'ouvrit pour laisser passer un homme jeune qui ne devait pas avoir atteint les trente ans. Il portait un costume fraîchement repassé et sentait l'eau de Cologne. Il n'avait pas l'aspect martial d'un militaire de carrière et affectait des manières distinguées contrastant avec l'air condescendant du personnage qui se sent au-dessus de la position qu'il occupe et des affaires qu'il doit mener. Le trait de son visage qui attirait le plus l'attention était ses yeux. Bleus, pénétrants, où perçaient la cupidité et la méfiance. Eux seuls, dans cette façade d'élégance étudiée et d'affabilité apparente, laissaient deviner sa vraie nature.

Des lunettes rondes les agrandissaient, et ses cheveux gominés et peignés en arrière lui conféraient un air vaguement maniéré incongru dans ce décor sinistre. L'individu prit place sur la chaise derrière la table et ouvrit un dossier qu'il tenait à la main. Après une analyse rapide de son contenu, il joignit les mains, la pointe des doigts sous le menton, et dévisagea longuement le prisonnier.

— Excusez-moi, je crois qu'il s'est produit une confusion...

Le coup de crosse dans l'estomac du prisonnier lui coupa la respiration et l'expédia au sol.

— Parle seulement quand M. le directeur te le demande ! lui intima la sentinelle.

— Debout ! ordonna le directeur d'une voix légèrement tremblante, encore peu habituée à commander.

Le détenu parvint à se relever et fit face au regard sans aménité de M. le directeur.

— Nom ?

— Fermín Romero de Torres.

Le prisonnier observa ces yeux bleus et n'y lut que mépris et indifférence.

— C'est quoi, ce nom ? Tu me prends pour un imbécile ? Allons : ton nom, le vrai.

Le petit homme souffreteux tendit ses papiers à M. le directeur. La sentinelle les lui arracha des mains et les posa sur la table. M. le directeur fit claquer sa langue en souriant.

— Encore des papiers de chez Heredia..., murmura-t-il avant de les jeter dans la corbeille. Ils n'ont aucune valeur. Est-ce que tu vas me dire comment tu t'appelles, ou devrons-nous nous fâcher ?

Le locataire numéro 13 essaya de sortir quelques mots, mais ses lèvres tremblaient et il fut à peine capable de balbutier quelque chose d'intelligible.

— N'aie pas peur, voyons, nous ne mangeons personne. Qu'est-ce qu'on t'a raconté ? Il y a un tas de rouges de merde qui répandent des calomnies, mais ici, les gens, quand ils collaborent, on les traite bien, en bons Espagnols. Allons, déshabille-toi.

Le locataire hésita un instant. M. le directeur baissa les yeux, comme si tout cela l'incommodait et que seule l'obstination du prisonnier le retenait dans cette pièce. Sans tarder, la sentinelle expédia un second coup de crosse au petit homme, cette fois dans les reins, qui le renvoya à terre.

— Tu as entendu M. le directeur? Grouille-toi. On va pas y passer la nuit.

Le locataire numéro 13 réussit à se mettre à genoux et, dans cette position, se dépouilla de ses vêtements ensanglantés et sales. Quand il fut complètement nu, la sentinelle lui passa le canon de son fusil sous l'aisselle et le força à se redresser. M. le directeur esquissa une moue de dégoût en contemplant les brûlures qui lui couvraient le torse, les fesses et une bonne partie des cuisses.

— Faut croire que nous avons affaire à une vieille connaissance de Fumero, commenta la sentinelle.

— Vous, taisez-vous! ordonna M. le directeur sans beaucoup de conviction.

Impatient, il examina le prisonnier et constata que celui-ci pleurait.

— Voyons, ne pleure pas et dis-moi comment tu t'appelles.

Le détenu murmura de nouveau :

— Fermín Romero de Torres...

M. le directeur soupira, écœuré.

— Écoute, tu commences à épuiser ma patience. Je veux t'aider et je n'aimerais pas devoir appeler Fumero pour le prévenir que tu es ici...

Le prisonnier se mit à gémir comme un chien blessé et à trembler si fort que M. le directeur, auquel la scène déplaisait manifestement et qui souhaitait y mettre fin le plus vite possible, échangea un coup d'œil avec la sentinelle et, sans ajouter un mot, se borna à inscrire sur le registre le nom donné par le prisonnier, en jurant tout bas.

— Saloperie de guerre, murmura-t-il pour lui-même quand on emmena le détenu dans sa cellule en le traînant tout nu dans les couloirs inondés.

2.

La cellule était un rectangle obscur et humide avec une petite ouverture dans le mur par où pénétrait un air glacé. Les parois étaient couvertes d'encoches et de marques gravées par les précédents locataires. Certains inscrivaient leurs noms, des dates, ou laissaient un signe qui témoignait de leur existence. L'un d'eux s'était appliqué à tracer des crucifix dans l'obscurité, mais le ciel ne semblait pas y avoir prêté attention. Les barreaux en fer qui fermaient la cellule laissaient sur les mains une couche de rouille.

Fermín s'était recroquevillé sur un châlit en tentant de couvrir sa nudité avec un morceau de tissu en loques qui, supposa-t-il, faisait office de couverture. La pénombre avait une teinte cuivrée, comme le souffle d'une bougie agonisante. Au bout d'un moment ses yeux s'habituèrent à ces ténèbres perpétuelles et son ouïe s'affina assez pour saisir de légers bruissements de corps qui se mouvaient, au milieu de la litanie de la pluie et des échos apportée par le courant d'air qui filtrait de l'extérieur.

Fermín était là depuis une demi-heure quand il s'avisa de la présence, à l'autre extrémité de la cellule, d'une forme dans l'ombre. Il se leva et s'approcha lentement pour découvrir qu'il s'agissait d'un sac de toile sale. Le froid et l'humidité avaient fait leur chemin dans ses os et, bien que l'odeur de ce ballot semé de taches noires ne laisse rien augurer de plaisant, il pensa qu'il contenait

83

peut-être l'uniforme de prisonnier que personne ne s'était donné le mal de lui donner et, avec un peu de chance, une couverture dont se couvrir. Il s'agenouilla devant le sac et défit le nœud qui en fermait une extrémité.

Quand il eut écarté la toile, la lueur vacillante des lampes qui tremblotaient dans le couloir révéla ce que, sur le moment, il prit pour le visage d'un mannequin, comme ceux que les tailleurs disposent dans leurs vitrines pour présenter leurs costumes. La puanteur et la nausée lui firent comprendre qu'il se trompait. Se bouchant le nez et la bouche d'une main, il enleva le reste de la toile et recula si violemment qu'il alla heurter le mur de la cellule.

Le cadavre semblait être celui d'un adulte d'âge indéterminé, entre quarante et soixante-quinze ans, qui ne devait pas peser plus de cinquante kilos. De longs cheveux et une barbe blanche couvraient une bonne partie de son torse squelettique. Ses mains osseuses aux ongles larges et recourbés ressemblaient à des griffes d'oiseau. Il avait les yeux ouverts et les cornées paraissaient s'être ratatinées comme l'écorce des fruits mûrs. La bouche était entrouverte et la langue, gonflée et noirâtre, restait bloquée entre les dents gâtées.

— Ôtez-lui ses vêtements avant qu'ils viennent le prendre, dit une voix provenant de la cellule située de l'autre côté du couloir. Personne ne vous en donnera d'autres avant le mois prochain.

Fermín scruta l'ombre et repéra les deux yeux luisants qui l'observaient depuis le châlit de l'autre cellule.

— Et n'ayez pas peur, le pauvre ne peut plus faire de mal à personne, assura la voix.

Fermín acquiesça et revint au sac, en se demandant comment il allait s'y prendre.

— Veuillez m'excuser, murmura-t-il au défunt. Reposez en paix et que Dieu vous accueille dans sa gloire.

— Il était athée, l'informa la voix de la cellule d'en face.

Fermín acquiesça de nouveau et se tint quitte des cérémonies. Le froid qui régnait dans le réduit le pénétrait jusqu'aux os et semblait suggérer qu'ici toute politesse était superflue. Il retint sa respiration et se mit au travail. Les vêtements étaient aussi puants que le mort. La rigidité cadavérique avait gagné tout le corps, et déshabiller le cadavre fut plus difficile qu'il l'avait supposé. Après avoir enlevé les effets du défunt, Fermín s'efforça de le remettre dans le sac et de refermer celui-ci avec un nœud de matelot que même le grand Houdini n'aurait pu défaire. Finalement, accoutré de ces loques pestilentielles, il se rencogna de nouveau sur le châlit et se demanda combien de personnes avaient déjà porté cet uniforme.

— Merci, dit-il après avoir terminé.

— Il n'y a pas de quoi, répondit la voix de l'autre côté du couloir.

— Fermín Romero de Torres, pour vous servir.

— David Martín.

Fermín fronça les sourcils. Le nom lui était familier. Il fouilla dans ses souvenirs pendant presque cinq minutes, puis la lumière se fit et il se rappela les après-midi volées dans un coin de la bibliothèque du carmel, quand il dévorait une série de livres aux couvertures et aux titres provocants.

— Martín, l'écrivain ? Celui de *La Ville des maudits* ?

Un soupir dans l'ombre.

— Plus personne ne respecte les pseudonymes, dans ce pays.

— Excusez mon indiscrétion. C'est que j'étais un lecteur passionné de vos livres, voilà pourquoi j'ai su que c'était vous qui étiez derrière la plume du célèbre Ignatius B. Samson...

— Pour vous servir.

— Ah, monsieur Martín, quel plaisir de vous rencontrer, même dans ces tristes circonstances : ça fait des années que je vous admire et...

— Vous allez la boucler, les tourtereaux ? Y a des gens qui essayent de dormir, ici ! beugla une voix aigre qui paraissait provenir de la cellule voisine.

— Voilà encore le boute-en-train de la maison, intervint une deuxième voix un peu plus loin dans le couloir. Ne faites pas attention, Martín, ici, celui qui dort, les poux le bouffent vivant en commençant par les parties. Hé, Martín, pourquoi vous ne nous racontez pas une histoire ? Une des histoires de Chloé...

— C'est ça, pour que tu te branles encore comme un sagouin, répliqua la voix hostile.

— Mon cher Fermín, l'informa Martín depuis sa cellule, j'ai l'honneur de vous présenter le numéro 12, celui qui trouve toujours tout mal, quoi qu'il arrive, et le numéro 15, insomniaque, cultivé et idéologue officiel de la galerie. Le reste parle peu, particulièrement le numéro 14.

— Je parle quand j'ai quelque chose à dire, intervint une voix grave et glacée dont Fermín supposa qu'elle appartenait au numéro 14. Si tout le monde ici faisait de même, on aurait la paix pendant la nuit.

Fermín prit acte de cette communauté très spéciale.

— Bonsoir à tous. Mon nom est Fermín Romero de Torres et c'est un plaisir de faire votre connaissance.

— Gardez le plaisir pour vous, lança le numéro 14.

Fermín jeta un autre coup d'œil au sac qui hébergeait le cadavre et déglutit.

— C'était Lucio, le dernier numéro 13, expliqua Martín. Nous ne savons rien de lui, car le pauvre était muet. Une balle lui a emporté le larynx, sur l'Èbre.

— Dommage que tout le monde n'ait pas été comme lui, rétorqua le numéro 14.

— De quoi est-il mort ?

— Ici, on meurt simplement parce qu'on y est, répondit le numéro 12. Pas besoin de beaucoup plus.

3.

La routine aidait. Une fois par jour, durant une heure, les prisonniers des deux premières galeries étaient conduits dans la cour près des fossés pour y prendre le soleil, la pluie ou ce qu'ils y trouvaient. La nourriture consistait en un bol d'une bouillie collante et froide, graisseuse et grisâtre, de nature indéterminée; passé quelques jours, les crampes de faim à l'estomac aidant, on finissait par s'habituer à son goût rance. Elle était distribuée au milieu de l'après-midi et, avec le temps, les prisonniers apprenaient à l'attendre avec impatience.

Une fois par mois, ils livraient leurs vêtements sales et en recevaient d'autres qui, en principe, avaient été plongés pendant une minute dans un chaudron d'eau bouillante, mais les poux ne semblaient pas avoir reçu confirmation de cette mesure drastique. Le dimanche était célébrée une messe à laquelle personne ne prenait le risque de ne pas assister, car le prêtre faisait l'appel et notait les noms des manquants. Deux absences se traduisaient par une semaine sans nourriture. Trois par un séjour d'un mois dans une des cellules d'isolement situées dans la tour.

Les galeries, la cour et les espaces que traversaient les prisonniers étaient étroitement surveillés. Un corps de sentinelles armées de fusils et de pistolets patrouillait dans la prison, et il était impossible aux détenus, quand ils étaient hors de leur cellule, de tourner la tête dans une quelconque direction sans en apercevoir au moins une douzaine, l'œil aux aguets et l'arme pointée. Elles étaient complétées, de façon moins menaçante, par les gardiens. Aucun n'ayant l'allure militaire, l'opinion générale des prisonniers était qu'il s'agissait d'une troupe de malheureux qui n'avaient pu trouver d'autre emploi en ces temps de misère.

Chaque galerie comptait un gardien qui, armé d'un trousseau de clefs, accomplissait ses douze heures de service assis sur une chaise au bout du couloir. La plupart évitaient de fraterniser avec les «locataires», ou même de leur adresser une parole ou un regard au-delà du strict nécessaire. La seule exception était un pauvre diable surnommé Bebo qui avait perdu un œil dans un bombardement aérien quand il était gardien de nuit dans une usine du Pueblo Seco.

On prétendait que Bebo avait un frère jumeau prisonnier dans une prison de Valence et que c'était peut-être pour cette raison qu'il traitait les détenus avec une certaine amabilité et, quand personne ne pouvait le surprendre, leur donnait de l'eau potable, un quignon de pain sec ou ce qu'il pouvait grappiller du butin amassé par les sentinelles, qui s'appropriaient les colis des familles des prisonniers. Bebo aimait traîner sa chaise jusqu'au voisinage de la cellule de David Martín et écouter les histoires que l'écrivain racontait parfois aux autres détenus. Dans cet enfer particulier, Bebo était celui qui se rapprochait le plus d'un ange.

L'habitude voulait qu'après la messe dominicale M. le directeur adresse quelques paroles édifiantes aux prisonniers. De lui, on savait seulement qu'il s'appelait Mauricio Valls et qu'il avait été avant la guerre un modeste apprenti littérateur qui travaillait comme secrétaire et pourvoyeur de ragots pour un auteur local d'un certain renom, éternel rival du malheureux don Pedro Vidal. À ses moments de loisir, il faisait de mauvaises traductions de classiques grecs et latins, éditait avec quelques âmes jumelles une feuille dont l'ambition culturelle était aussi haute que sa diffusion était faible, et organisait des réunions de salon où un bataillon de sommités du même acabit déplorait l'état des choses et prophétisait que si, un jour, ils prenaient le taureau par les cornes, le monde atteindrait des sommets dignes de l'Olympe.

Sa vie semblait devoir se limiter à cette existence grise et amère des médiocres que Dieu, dans son infinie cruauté, a dotés de la folie des grandeurs et de la superbe des titans. Mais la guerre avait réécrit son destin, comme celui de tant d'autres. Son sort avait changé quand, moitié par hasard, moitié par intérêt, Mauricio Valls, qui jusquelà n'avait jamais été amoureux que de son prodigieux talent et de son exquis raffinement, avait épousé la fille d'un puissant industriel dont les tentacules soutenaient en grande partie le budget du général Franco et de ses troupes.

La fille, de huit ans plus âgée que Mauricio, vivait prostrée dans une chaise roulante depuis qu'elle avait treize ans, rongée par une maladie congénitale qui lui dévorait les muscles. Aucun homme ne l'avait jamais regardée dans les yeux ni ne lui avait pris la main pour lui susurrer qu'elle était belle et lui demander son nom. Mauricio qui, comme tous les littérateurs sans talent, était fondamentalement un homme aussi pratique que vaniteux avait été le premier et le dernier à le faire. Un an plus tard, le couple convolait en justes noces à Séville, devant une assistance choisie où figuraient le général Queipo de Llano et d'autres étoiles du firmament nationaliste.

— Vous ferez carrière, Valls, lui avait prédit Serrano Súñer en personne lors d'une audience privée à Madrid, quand Valls était venu mendier le poste de directeur de la Bibliothèque nationale. L'Espagne vit des moments difficiles, et tout Espagnol bien né se doit de prêter main-forte pour contenir les hordes du marxisme qui ambitionnent de corrompre notre patrimoine spirituel, avait poursuivi le beau-frère du Caudillo, tout fringant dans son uniforme d'amiral d'opérette.

— Comptez sur moi, Excellence, lui avait assuré Valls. Pour tout ce que vous jugerez bon.

«Tout ce que vous jugerez bon» s'était bel et bien traduit par un poste de directeur : pas de la majestueuse Bibliothèque nationale, comme le souhaitait Mauricio Valls, mais d'une prison de sinistre réputation juchée sur un piton rocheux qui surplombait la ville de Barcelone. La liste des proches et des protégés à placer à des postes prestigieux était longue et fournie, et Valls, malgré son acharnement, ne figurait que dans le tiers inférieur.

— Prenez patience, Valls. Vos efforts se verront récompensés.

C'était ainsi que Mauricio Valls avait pris sa première leçon dans le complexe art national de manœuvrer et de gravir les échelons après un changement de régime : des milliers de fidèles et de convertis participaient à l'escalade, et la compétition était terriblement rude.

4.

Telle était du moins la légende. Cette accumulation non confirmée de soupçons, de conjectures et de rumeurs était parvenue aux oreilles des prisonniers grâce aux mauvaises manières du directeur précédent. Déposé après deux semaines seulement de commandement, il avait déversé son fiel sur cet arriviste coupable de lui avoir volé le titre pour lequel il avait lutté pendant toute la guerre. Le directeur évincé manquait de relations familiales et traînait le précédent fatal d'avoir été surpris ivre, en train de proférer des plaisanteries sur le Généralissime de toutes les Espagnes et sur son étonnante ressemblance avec le grillon de Pinocchio. Avant d'être enterré dans un poste de sous-directeur d'une prison de Ceuta, il s'était consacré à déverser ses calomnies sur Mauricio Valls dans toutes les oreilles complaisantes.

Ce qui, en tout cas, ne faisait pas de doute, c'est que personne ne se permettait d'appeler Valls autrement que «monsieur le directeur». La version officielle, dont il était lui-même l'auteur, était que don Mauricio Valls était un homme jouissant d'un grand prestige, d'une vaste culture et d'une érudition raffinée acquise au cours de ses années d'études à Paris et qui, après ce passage provisoire dans l'administration pénitentiaire du régime, avait pour destin et mission, avec l'aide d'un cercle choisi d'intellectuels aussi raffinés que lui, d'éduquer le bas peuple de cette Espagne décimée et de lui apprendre à penser.

Ses discours comportaient de fréquentes et longues citations des écrits, poèmes et articles pédagogiques qu'il publiait assidûment dans la presse nationale sur la littérature, la philosophie et la nécessaire renaissance de la pensée en Occident. Si les prisonniers applaudissaient assez fort à la fin de ces cours magistraux, le directeur prenait un air magnanime et les gardiens distribuaient des cigarettes, des bougies ou quelque autre objet de luxe puisé dans le stock des cadeaux et des paquets que les familles envoyaient aux détenus. Les articles les plus intéressants avaient été préalablement confisqués par les gardiens, qui les emportaient chez eux ou parfois les vendaient aux prisonniers, ce qui était finalement mieux que rien.

Les morts de cause naturelle ou plus ou moins indéterminée, normalement de un à trois par semaine, étaient ramassés à minuit, sauf les week-ends et jours fériés ; dans ce cas, le cadavre demeurait dans la cellule jusqu'au lundi ou au jour de travail suivant, tenant habituellement compagnie au nouveau locataire. Lorsque les prisonniers appelaient pour prévenir qu'un de leurs camarades était passé dans un monde meilleur, un gardien venait, vérifiait le pouls et la respiration avant de glisser le cadavre dans un des sacs de toile utilisés à cette fin. Une fois le sac noué, on le laissait dans la cellule jusqu'à ce que les pompes funèbres du cimetière voisin de Montjuïc en prennent livraison. Personne ne savait ce qu'on en faisait et, quand on avait questionné Bebo, celui-ci avait refusé de répondre et baissé les yeux.

Tous les quinze jours, un tribunal militaire d'exception se réunissait et les condamnés étaient fusillés à l'aube. Parfois, le peloton d'exécution ne parvenait pas à toucher un organe vital, à cause du mauvais état des fusils ou des munitions, et les gémissements des agonisants tombés dans le fossé se prolongeaient des heures durant. Il arrivait aussi qu'on entende une explosion et que les cris s'arrêtent net. La théorie ayant cours chez les prisonniers était qu'un officier y avait mis fin avec une grenade, cependant nul n'était certain que ce soit la bonne explication.

Selon une autre rumeur, M. le directeur recevait les femmes, les filles, les fiancées et même les tantes ou les grands-mères des détenus dans son bureau tous les vendredis matin. Après avoir ôté son alliance, qu'il remisait dans le premier tiroir de sa table de travail, il écoutait leurs doléances, soupesait leurs requêtes, offrait un mouchoir pour leurs pleurs et acceptait des cadeaux, ou encore des faveurs d'une autre nature qu'elles lui dispensaient contre la promesse d'une meilleure alimentation ou d'une révision de sentences douteuses, laquelle promesse n'était jamais suivie d'effet.

Il arrivait aussi que Mauricio Valls se contente de leur servir des petits gâteaux et un verre de muscat ; et si, malgré les misères de l'époque et la malnutrition, elles étaient encore agréables à regarder, il leur lisait ses écrits, leur confessait que son mariage avec une infirme était un calvaire, parlait abondamment de sa détestation pour ce poste de geôlier, et racontait combien c'était humiliant pour un homme comme lui, d'une si haute culture, d'un tel raffinement et d'une telle délicatesse, de se voir confiné dans cette situation indigne, alors que sa vocation naturelle était de faire partie des élites du pays.

Les plus anciens dans les lieux conseillaient de ne pas mentionner M. le directeur et, dans la mesure du possible, de ne pas penser à lui. La plupart des prisonniers préféraient parler de la famille qu'ils avaient laissée, de leur femme et des souvenirs de leur existence passée. Certains avaient des photos de leur amie ou épouse, qu'ils conservaient comme des trésors et défendaient au prix de leur vie si quelqu'un tentait de les leur arracher. Plus d'un détenu avait expliqué à Fermín que les trois premiers mois étaient les pires. Ensuite, une fois toute espérance évanouie, le temps commençait à couler plus vite et l'âme finissait par s'endormir au fil des jours privés de sens.

5.

Le dimanche, après la messe et la harangue de M. le directeur, certains prisonniers s'aggloméraient dans un coin ensoleillé de la cour pour échanger des cigarettes et écouter les histoires que leur racontait David Martín quand il était suffisamment dans son bon sens. Fermín, qui les connaissait presque toutes pour avoir lu la série entière de *La Ville des maudits,* s'unissait à eux et laissait voguer son imagination. Mais, souvent, Martín ne paraissait même pas en état de compter jusqu'à cinq, de sorte que les autres le laissaient en paix pendant qu'il allait causer tout seul à l'écart. Fermín l'observait attentivement et le suivait parfois de près, car il y avait chez ce pauvre diable quelque chose qui lui serrait le cœur. Fermín, toujours très fort dans ses exercices de bonimenteur, tentait de lui procurer des cigarettes ou même quelques morceaux de sucre, ce qui lui faisait très plaisir.

— Fermín, vous êtes un brave homme. Essayez de le cacher.

Martín portait toujours sur lui une vieille photo qu'il aimait contempler durant de longs moments. Elle représentait un homme vêtu de blanc tenant une fillette d'une dizaine d'années par la main. Tous deux regardaient le crépuscule sur la pointe d'une petite jetée en bois qui partait d'une plage, comme une passerelle tendue sur la mer. Quand Fermín lui posait des questions sur cette photo,

Martín restait silencieux et se bornait à remettre l'image dans sa poche.

— Qui est cette petite fille, monsieur Martín ?

— Je ne suis pas sûr, Fermín. Parfois la mémoire me fait défaut. Ça ne vous arrive jamais ?

— Bien sûr que si. Ça nous arrive à tous.

On murmurait que Martín n'avait pas toute sa tête, et il n'avait pas fallu beaucoup de temps à Fermín pour soupçonner que le pauvre était encore plus dérangé que le supposaient les prisonniers. S'il lui arrivait, à certains moments, d'être plus lucide que tous les autres, le plus souvent il ne paraissait pas comprendre où il se trouvait et parlait de lieux et de personnes qui, manifestement, n'existaient que dans son imagination ou dans son souvenir.

Fréquemment, Fermín se réveillait avant l'aube et écoutait Martín parler dans sa cellule. S'il s'approchait silencieusement des barreaux et tendait l'oreille, il l'entendait nettement discuter avec quelqu'un qu'il appelait « monsieur Corelli » et qui, à en croire les paroles échangées, semblait être un personnage particulièrement sinistre.

Une nuit, Fermín alluma ce qui lui restait de sa dernière bougie et la leva en direction de la cellule d'en face pour vérifier que Martín était bien seul et que les deux voix, la sienne et celle de ce Corelli, provenaient bien des mêmes lèvres. Martín tournait en rond dans sa cellule et, quand son regard croisa celui de Fermín, celui-ci put constater que son camarade ne le voyait pas. Il se comportait comme si les murs de la prison n'existaient pas et que sa conversation avec l'étrange personnage avait lieu très loin de là.

— Ne faites pas attention, murmura dans l'ombre le numéro 15. C'est toutes les nuits la même chose. Il est complètement cinglé. Il a bien de la chance.

Le lendemain, quand Fermín l'interrogea sur le dénommé Corelli et ses conversations nocturnes, Martín le dévisagea avec étonnement et eut un sourire gêné. Une autre fois, alors qu'il ne pouvait trouver le sommeil à cause du froid, Fermín s'approcha de nouveau des barreaux et entendit Martín parler avec un de ses amis invisibles. Cette nuit-là, il osa l'interrompre.

— Martín ? C'est moi, Fermín, votre voisin d'en face. Vous vous sentez bien ?

Martín alla jusqu'aux barreaux de sa cellule et Fermín vit que son visage était baigné de larmes.

— Monsieur Martín ? Qui est Isabella ? Tout à l'heure, vous parliez d'elle.

Martín le fixa longuement.

— Isabella est le seul bien qui me reste dans ce monde de merde, répondit-il avec une âpreté inhabituelle chez lui. Si je ne l'avais pas, je crois que je vous ferais tous brûler jusqu'à ce que vous ne soyez plus que cendres.

— Pardonnez-moi, Martín. Je ne voulais pas vous blesser.

Martín retourna dans l'ombre. Le lendemain, on le trouva tout tremblant, dans une mare de sang. Bebo s'était endormi sur sa chaise et Martín en avait profité pour frotter ses poignets contre la pierre jusqu'à s'ouvrir les veines. Quand on l'emporta sur une civière, il était si pâle que Fermín crut qu'il ne le reverrait jamais.

— Ne vous inquiétez pas pour votre ami, Fermín, dit le numéro 15. Si c'était un autre, il irait directement dans le sac, mais c'est Martín, et M. le directeur ne le laissera pas mourir. Personne ne sait pourquoi.

La cellule de David Martín resta vide pendant cinq semaines. Quand Bebo le ramena en le soutenant, vêtu d'un pyjama blanc comme un enfant, il avait les bras bandés jusqu'aux coudes. Il ne se souvenait de personne et passa la première nuit à soliloquer en riant. Bebo planta sa chaise devant les barreaux et resta là sans bouger, lui passant des morceaux de sucre qu'il avait volés au mess des officiers et cachés dans ses poches.

— Monsieur Martín, s'il vous plaît, ne dites pas ces choses-là, sinon Dieu vous punira, chuchotait-il entre deux sucres.

Dans le monde réel, le numéro 12 avait été le docteur Román Sanahuja, chef du service de médecine interne à l'Hôpital général, un homme intègre et exempt des délires et exaltations idéologiques de ses confrères, que sa conscience et son refus de les dénoncer avaient envoyé au fort. La norme entre ces murs était que, quelle que soit leur profession, les prisonniers n'en tirent pas le moindre avantage. Sauf quand ladite profession présentait quelque intérêt pour M. le directeur. Dans le cas du docteur Sanahuja, son utilité avait été vite reconnue.

— Je ne dispose pas ici, hélas, des moyens médicaux qui seraient souhaitables, lui avait expliqué M. le directeur. La réalité est que le régime a d'autres priorités et que peu lui importe si l'un de vous pourrit de la gangrène dans sa cellule. Après avoir beaucoup bataillé, j'ai réussi à obtenir qu'on m'envoie une armoire à pharmacie sans grand-chose dedans et un médicastre dont je crois qu'il ne serait même pas accepté comme balayeur à la faculté de médecine vétérinaire. C'est tout ce qu'il y a. Je sais qu'avant de succomber aux mirages de la neutralité vous étiez un médecin d'un certain renom. Pour des raisons qui m'appartiennent, je porte un intérêt particulier à ce que le détenu David Martín ne nous quitte pas avant l'heure. Si vous voulez bien collaborer et aider à le maintenir dans un état de santé convenable, je vous assure que j'en tiendrai compte en rendant votre séjour plus supportable et en me chargeant personnellement de faire réviser votre cas dans la perspective d'écourter votre peine.

Le docteur Sanahuja s'était montré intéressé.

— Il m'est revenu aux oreilles que Martín travaillerait un peu du chapeau, comme vous dites. Est-ce exact? avait demandé M. le directeur.

— Je ne suis pas psychiatre, néanmoins, à mon humble avis, Martín est déséquilibré.

M. le directeur avait soupesé cette appréciation.

— Médicalement parlant, combien de temps pensez-vous qu'il puisse durer ? avait-il poursuivi. Je veux dire, rester vivant.

— Je l'ignore. La prison est insalubre et...

M. le directeur avait arrêté le docteur Sanahuja d'un geste las, en acquiesçant.

— Et rester lucide ? Jusqu'à quel point Martín peut-il conserver ses facultés mentales ?

— Il y a peu de chances, je suppose.

— Je comprends.

M. le directeur avait offert une cigarette, que le docteur avait refusée.

— Vous l'estimez, n'est-ce pas ?

— Je le connais à peine, avait répliqué le docteur. Il semble être un brave homme.

Le directeur avait souri.

— Et un très mauvais écrivain. Le pire qu'ait jamais connu ce pays.

— Monsieur le directeur, vous êtes un expert international en matière de littérature. Moi, je n'y connais rien.

M. le directeur l'avait observé froidement.

— Pour de moins graves impertinences, j'ai envoyé des hommes passer trois mois en cellule d'isolement. Peu survivent, et ceux qui y réussissent reviennent dans un état pire que celui de votre ami Martín. Ne croyez pas que votre diplôme vous octroie un quelconque privilège. Dans votre dossier il est noté que vous avez une femme et trois filles à l'extérieur. Votre sort et celui de votre famille dépendent de l'utilité que vous représentez pour moi. Me suis-je exprimé clairement ?

Le docteur Sanahuja avait avalé sa salive.

— Oui, monsieur le directeur.

— Merci, *docteur.*

Périodiquement, le directeur demandait à Sanahuja de jeter un coup d'œil sur Martín ; les mauvaises langues prétendaient qu'il ne faisait guère confiance au médecin en titre de la prison, un charlatan et un fourbe qui, à force d'établir des actes de décès, avait oublié la notion de soins préventifs et fut congédié rapidement.

— Comment va le patient, docteur ?

— Il est faible.

— Bien. Et ses démons ? Il continue à parler tout seul et à divaguer ?

— Il n'y a pas de changement.

— J'ai lu dans *ABC* un admirable article de mon bon ami Sebastián Jurado où il parle de la schizophrénie, le mal des poètes.

— Je ne suis pas qualifié pour porter ce diagnostic.

— Mais vous l'êtes pour le maintenir en vie, n'est-ce pas ?

— J'essaie.

— Faites plus qu'essayer. Pensez à vos filles. Si jeunes. Si exposées, avec tous les scélérats et tous les rouges qui se cachent encore un peu partout.

Les mois passant, le docteur finit par se prendre d'affection pour Martín. Un jour, en partageant des mégots, il raconta à Fermín ce qu'il savait de l'histoire de cet homme que certains, en se moquant de ses élucubrations et de son statut de lunatique officiel de la prison, avaient surnommé « le Prisonnier du Ciel ».

6.

— Si vous vous voulez la vérité, je crois que lorsqu'on l'a amené ici, David Martín allait déjà mal depuis longtemps. Avez-vous entendu parler de la schizophrénie, Fermín? C'est un des nouveaux mots favoris de M. le directeur.

— C'est ce que le commun des mortels appelle avoir une araignée au plafond.

— Il n'y a pas de quoi plaisanter, Fermín. C'est une maladie très grave. Ce n'est pas ma spécialité, néanmoins j'en ai connu quelques cas. Souvent les patients entendent des voix, voient et se rappellent des personnes et des événements qui n'ont jamais existé... L'esprit se détériore peu à peu et les malades ne font plus la distinction entre réalité et fiction.

— Comme soixante-dix pour cent des Espagnols... Et vous croyez que le pauvre Martín est atteint de ce mal, docteur?

— Je ne le sais pas avec certitude. Je vous le répète, ce n'est pas ma spécialité, cependant je crois qu'il présente quelques-uns des symptômes les plus courants.

— Peut-être que, dans le cas présent, cette maladie est une bénédiction...

— Elle n'est jamais une bénédiction, Fermín.

— Il sait qu'il en est atteint?

— Le fou pense toujours que ce sont les autres qui sont fous.

— C'est bien ce que je disais à propos des soixante-dix pour cent d'Espagnols...

Une sentinelle les observait du haut d'une guérite, comme s'il voulait lire sur leurs lèvres.

— Baissez la voix, sinon ils vont encore nous tomber dessus.

Le docteur fit signe à Fermín de revenir sur leurs pas afin de gagner l'autre extrémité de la cour.

— Par les temps qui courent, même les murs ont des oreilles, murmura-t-il.

— C'est vrai, il suffirait peut-être qu'ils comprennent un mot de ce que nous disons, et tout serait fini, répliqua Fermín.

— Savez-vous ce que m'a confié Martín la première fois que je l'ai examiné à la demande de M. le directeur?

» — Docteur, je crois que j'ai découvert le seul moyen de sortir de cette prison.

» — Comment?

» — Mort.

» — Vous n'avez pas un moyen plus pratique?

» — Avez-vous lu *Le Comte de Monte-Cristo,* docteur?

» — Dans ma jeunesse. Je ne m'en souviens pas vraiment.

» — Eh, bien, relisez-le. Tout est dedans.

»Je n'ai pas voulu lui révéler que M. le directeur avait fait retirer de la bibliothèque de la prison tous les livres d'Alexandre Dumas, en même temps que ceux de Dickens, de Galdós et de beaucoup d'autres auteurs, parce qu'il les considérait comme des cochonneries tout juste bonnes à amuser le vulgaire sans l'éduquer. Il les a remplacés par une collection de romans et de nouvelles de lui-même et de certains de ses amis, qu'il a fait relier plein cuir par Valentí, un détenu diplômé en arts graphiques qu'il a laissé mourir de froid, le travail achevé, en l'obligeant à rester sous la pluie cinq nuits de suite, en janvier, parce qu'il avait osé plaisanter sur le raffinement exquis de sa prose. Valentí a réussi à sortir d'ici avec le système de Martín : mort.

» Depuis que je suis là, j'ai compris, en écoutant les conversations des gardiens, que David Martín est arrivé dans cette prison à la demande expresse de M. le directeur. Il était détenu à la Modelo, accusé d'une série de crimes auxquels je ne crois pas et auxquels personne n'accorde beaucoup de crédit. Entre autres choses, on prétendait qu'il avait tué dans une crise de jalousie son protecteur et meilleur ami, un homme fortuné du nom de Pedro Vidal, écrivain comme lui, et son épouse Cristina. Et aussi qu'il avait assassiné de sang-froid plusieurs policiers et je ne sais qui encore. Ces derniers temps, tout un chacun peut être accusé de tout et de n'importe quoi, et on ne sait plus que penser. Moi, j'ai du mal à imaginer que Martín soit un assassin. Pourtant, il est vrai que, pendant les années de guerre, on a vu tant de gens des deux bords mettre bas le masque et révéler leur vrai visage que plus rien n'est sûr. Tout le monde y va de sa pierre et dénonce ensuite le voisin.

— Si je vous racontais..., l'approuva Fermín.

— Toujours est-il que le père de ce Vidal est un industriel puissant et riche à millions, dont on murmure qu'il a été un des banquiers-clefs du camp nationaliste. Pourquoi faut-il que toutes les guerres soient gagnées par les banquiers ? Bref, l'influent Vidal a demandé personnellement au ministère de la Justice de rechercher Martín et de l'envoyer crever en prison pour ce qu'il avait fait à son fils et à sa belle-fille. Apparemment, Martín avait réussi à se réfugier à l'étranger quelque trois ans quand on l'a retrouvé près de la frontière. Pour moi, il fallait qu'il n'ait déjà plus toute sa tête pour revenir dans une Espagne où on l'attendait pour le crucifier. Et surtout dans les derniers jours de la guerre, alors que des milliers de personnes traversaient la frontière dans l'autre sens.

— Il arrive qu'on se fatigue de fuir, dit Fermín. Le monde est très petit quand on ne sait où aller.

— Je suppose que c'est ce qu'a pensé Martín. J'ignore comment il s'est débrouillé pour passer la frontière, mais des habitants de la localité de Puigcerda ont prévenu la Garde civile après l'avoir vu errer dans le village pendant des jours, vêtu de loques et soliloquant. Des bergers ont dit l'avoir repéré sur le chemin de Bolvir, à deux kilomètres de là. Il y avait à cet endroit une vieille bastide appelée la tour du Remei qui, durant la guerre, avait été transformée en hôpital pour les blessés du front. Il était tenu par un groupe de femmes qui, prenant probablement Martín pour un milicien, avaient eu pitié de lui et lui avaient fourni accueil et protection. Quand on est allé le chercher, il n'y était plus, mais il a été surpris la nuit suivante sur le lac gelé en train d'essayer d'ouvrir un trou dans la glace avec une pierre. Au début, on a cru qu'il voulait se suicider et il a été conduit au sanatorium de la villa San Antonio. Il semble qu'un des médecins l'y ait reconnu, ne me demandez pas comment, et quand son nom a été communiqué à l'état-major, il a été transféré à Barcelone.

— Dans la gueule du loup.

— Vous pouvez le dire. Le procès n'a pas duré deux jours. La liste des chefs d'accusation était interminable, et il n'y avait pratiquement pas d'indices ou de preuves pour les étayer, pourtant, étrangement, le procureur a réussi à produire de nombreux témoins. Ont défilé dans la salle des douzaines de personnes qui haïssaient Martín avec une telle force que même le juge en a été surpris. Tout porte à croire qu'elles avaient été soudoyées par le vieux Vidal. D'anciens camarades de ses années de journalisme dans un médiocre périodique appelé *La Voz de la Industria*, littérateurs de café, malheureux et envieux de tout poil, sont sortis des égouts pour jurer que Martín était coupable de tout ce dont on l'accusait, et de pis encore. Par ordre du juge et sur le conseil de Vidal père, toutes ses œuvres ont été saisies et brûlées comme étant de la littérature subversive et contraire aux bonnes mœurs. Quand Martín a déclaré au tribunal que les seules bonnes mœurs qu'il prônait étaient la lecture et que tout le reste était l'affaire de chacun, le juge a ajouté dix ans à sa condamnation. Apparemment, durant tout le procès, Martín, au lieu de se taire, n'a pas mâché ses mots, creusant ainsi sa propre tombe.

— Dans ce monde, on pardonne tout, sauf de dire la vérité.

— Toujours est-il qu'il a été condamné à la perpétuité. *La Voz de la Industria,* propriété du vieux Vidal, a publié un long article qui détaillait ses crimes et, comme si ça ne suffisait pas, un éditorial. Devinez qui le signait.

— Notre illustre directeur, don Mauricio Valls.

— Lui-même. Il y qualifiait Martín de «plus mauvais écrivain de l'histoire» et se réjouissait de la destruction de ses livres qui étaient une «offense à l'humanité et au bon goût».

— On a dit la même chose du Palau de la Música, précisa Fermín. C'est que nous possédons la fine fleur de l'intelligentsia internationale. Unamuno l'écrivait déjà : à eux d'inventer, à nous de juger.

— Innocent ou pas, Martín, après avoir assisté à son humiliation publique et à la destruction par le feu de toutes les pages qu'il avait écrites, est allé croupir dans une cellule de la Modelo. Il y serait probablement mort au bout de quelques semaines si M. le directeur, qui avait suivi le procès avec un intérêt extrême et était, pour quelque étrange raison, obsédé par Martín, n'avait eu accès à son dossier et demandé son transfert ici. Martín m'a raconté que, le jour de son arrivée, Valls se l'était fait amener dans son bureau et lui avait sorti un de ses discours :

»— Martín, bien que vous soyez un criminel endurci et sûrement un séditieux convaincu, quelque chose nous unit. Nous sommes tous les deux des hommes de lettres, et même si vous avez consacré votre misérable carrière à écrire des cochonneries pour la masse ignorante et privée de guide intellectuel, je crois que vous pouvez m'aider et, de la sorte, racheter vos erreurs. Je suis à la tête de toute une série de romans et de poèmes auxquels je n'ai cessé de travailler ces dernières années. Ils sont d'un très haut niveau littéraire et, malheureusement, je doute qu'il y ait dans ce pays d'analphabètes plus de trois cents lecteurs en mesure de les comprendre et de les apprécier à leur juste valeur. Aussi ai-je pensé que vous pourriez peut-être, habitué comme vous l'êtes à prostituer votre plume et à connaître les goûts du vulgaire qui lit dans le tramway, m'aider à effectuer quelques petits changements pour rapprocher mon œuvre du triste niveau des lecteurs de ce pays. Si vous êtes d'accord pour collaborer, je vous assure que je peux vous rendre l'existence beaucoup plus agréable. Je peux même obtenir que l'on rouvre votre dossier... Votre amie... Comment s'appelle-t-elle, déjà? Ah, oui, Isabella. Charmante, soit dit en passant. Bref, votre amie est venue me voir. Elle a engagé un jeune avocat, un certain Brians, et réussi à réunir l'argent nécessaire pour votre défense. Inutile de feindre : nous savons tous les deux que votre affaire était sans fondement et que vous avez été condamné sur la foi de témoins peu crédibles. Vous paraissez avoir une immense facilité pour vous créer des ennemis, Martín, y compris parmi des individus dont vous ignorez probablement l'existence. Ne commettez pas l'erreur de faire de moi un ennemi de plus, Martín. Ici, entre ces murs, je le dis sans détour, je suis Dieu.

» J'ignore si Martín a accepté la proposition de M. le directeur, mais je pense que oui : il est toujours vivant, et je constate que notre Dieu particulier continue à montrer son intérêt pour que cette situation ne change pas, au moins pour le moment. Il lui a même procuré du papier et tout ce qu'il faut pour écrire dans sa cellule, afin, je suppose, de reprendre les chefs-d'œuvre qui permettront à M. le directeur d'accéder à l'Olympe de la renommée et à la gloire littéraire qu'il convoite si fort. Je ne sais qu'en penser. Mon impression est que le pauvre Martín n'est pas en état d'écrire ne serait-ce que la taille de ses chaussures, et qu'il passe le plus clair de son temps dans une sorte de purgatoire qu'il s'est construit dans sa tête, où les remords et la douleur le dévorent vivant. Même si je suis avant tout un médecin interniste, pas vraiment qualifié pour un diagnostic...

7.

L'histoire relatée par le bon docteur avait intrigué Fermín. Fidèle à son éternelle adhésion aux causes perdues, il décida d'enquêter pour son compte, de tenter d'en apprendre plus sur Martín et, au passage, de perfectionner l'idée d'une fuite *via mortis* dans le style Alexandre Dumas. Plus il retournait la question dans sa tête, plus le sentiment se précisait que, au moins sur ce point particulier, le Prisonnier du Ciel n'était pas aussi fou que tout le monde l'imaginait. Chaque fois qu'il avait un moment de liberté dans la cour, Fermín s'efforçait d'approcher Martín et d'entamer la conversation.

— Fermín, je commence à croire que nous sommes, vous et moi, quasi fiancés. Je ne peux pas me retourner sans que vous soyez là.

— Pardonnez-moi, monsieur Martín, mais c'est que quelque chose me taraude.

— Et peut-on connaître la raison d'une telle curiosité ?

— Eh bien, voyez-vous, à parler franchement, je ne comprends pas comment un homme convenable comme vous peut consentir à aider cette chose nauséabonde et vaniteuse qu'est M. le directeur dans ses misérables tentatives de passer pour un littérateur de salon.

— Vous, alors, vous n'y allez pas de main morte ! Et apparemment, dans cette maison, le secret n'existe pas.

— J'ai un don particulier pour flairer les intrigues de haut vol et autres histoires de détective.

— Dans ce cas, vous savez que je ne suis pas un homme convenable mais un criminel.

— Ça, c'est l'avis du juge.

— Et de toute une armée de témoins sous serment.

— Achetés par une crapule et tous farcis de jalousie et autres bas sentiments.

— Fermín, y a-t-il vraiment quelque chose que vous ne sachiez pas?

— Un tas de choses. Mais celle qui me reste en travers de la gorge depuis des jours, c'est pourquoi vous devez travailler pour ce crétin prétentieux. Les individus comme lui sont la gangrène de ce pays.

— Des individus comme lui, il y en a partout, Fermín. Aucun pays n'en détient l'exclusivité.

— C'est seulement ici que nous les prenons au sérieux.

— Ne jugez pas si rapidement. M. le directeur est un personnage plus complexe qu'il n'y paraît dans toute cette comédie. Et d'abord, ce crétin prétentieux, comme vous l'appelez, est un homme très puissant.

— Dieu en personne, selon lui.

— Dans ce purgatoire particulier, ce n'est pas vraiment faux.

Fermín fronça le nez. Ce qu'il entendait lui déplaisait. C'était comme si Martín prenait plaisir à savourer le vin de sa défaite.

— Il vous a menacé, c'est ça? Qu'est-ce qu'il peut vous infliger de plus?

— À moi, rien, sauf me faire rire. Mais pour d'autres, à l'extérieur, il peut être très nuisible.

Fermín observa un long silence.

— Excusez-moi, monsieur Martín. Je ne voulais pas vous offenser. Je n'avais pas pensé à ça.

— Vous ne m'offensez pas, Fermín. Au contraire. Je crois que vous avez une vision trop généreuse de ma situation. Votre bonne foi en révèle beaucoup plus sur vous que sur moi.

— C'est cette demoiselle, n'est-ce pas? Isabella.

— Madame.

— Je ne savais pas que vous étiez marié.

— Je ne le suis pas. Isabella n'est pas ma femme. Ni ma maîtresse.

Fermín revint à son silence. Il ne voulait pas mettre en doute les paroles de Martín, pourtant rien qu'à l'entendre parler d'elle il comprenait que cette demoiselle, ou cette dame, était ce que le pauvre Martín aimait le plus en ce monde, probablement la seule présence qui le maintenait en vie dans cet abîme de misère. Et le plus triste était que, apparemment, il ne s'en rendait pas compte.

— Isabella et son mari tiennent une librairie, un lieu qui a toujours eu pour moi une signification singulière depuis mon enfance. M. le directeur m'a prévenu que, si je n'accédais pas à ses demandes, il se chargerait de les faire accuser de vendre des ouvrages subversifs. Ils seraient expropriés, envoyés en prison et privés de leur fils, qui n'a pas trois ans.

— Le salopard, murmura Fermín.

— Non, Fermín. Ce combat n'est pas le vôtre. C'est le mien. C'est ce que je mérite pour ce que j'ai fait.

— Vous êtes innocent, Martín.

— Vous ne me connaissez pas, Fermín. Et c'est mieux ainsi. Ce sur quoi vous devez vous concentrer, c'est la manière de vous tirer d'ici.

— Ça, c'est l'autre chose dont je voulais vous parler. J'ai cru comprendre que vous aviez en tête une méthode originale pour sortir de ce pot à merde. Si vous avez besoin pour l'expérimenter d'un cochon d'Inde maigre de chair mais débordant d'enthousiasme, considérez que je suis à votre service.

Martín l'observa, songeur.

— Avez-vous lu Dumas?

— De A à Z.

— C'est un atout non négligeable. Dans ce cas, vous savez déjà de quoi il retourne. Écoutez-moi bien.

8.

Cela faisait six mois que Fermín était en prison lorsqu'une série d'événements vint modifier en profondeur ce qui jusque-là avait été son existence. Le premier fut que, ces jours-là, quand le régime croyait encore qu'Hitler, Mussolini et compagnie gagneraient la guerre et que l'Europe aurait bientôt la même couleur que les caleçons du Généralissime, un flot haineux de tortionnaires, mouchards et commissaires politiques agissant en toute impunité avait obtenu que le nombre de citoyens détenus, en instance de procès ou de disparition, atteigne des niveaux historiques.

Les geôles du pays n'y suffisaient plus, et les autorités militaires avaient donné l'ordre à la direction de la prison de doubler, ou même de tripler, le nombre de détenus afin d'absorber l'afflux de condamnés qui inondait cette Barcelone vaincue et misérable de 1940. En conséquence, M. le directeur, dans son discours fleuri du dimanche, informa les prisonniers qu'ils devraient désormais partager leur cellule. Le docteur Sanahuja fut mis dans celle de Martín, probablement pour le surveiller et le protéger de ses suicides éclairs. Fermín dut partager la cellule 13 avec son ancien voisin, le numéro 14, et ainsi de suite. Tous les prisonniers de la galerie furent ainsi disposés deux par deux pour laisser la place aux nouveaux arrivants, que les fourgons amenaient nuit après nuit de la Modelo ou du Campo de la Bota.

— Ne faites pas cette tête, ça me plaît encore moins qu'à vous, l'avertit le numéro 14 en arrivant chez son nouveau compagnon.

— Je vous préviens que l'agressivité me donne de l'aérophagie, menaça Fermín. Vous êtes donc prié de laisser de côté vos rodomontades à la Buffalo Bill et de faire un effort pour pisser face au mur sans tout asperger, sinon, un de ces matins, vous vous réveillerez couvert de champignons.

L'ancien numéro 14 passa cinq jours sans adresser la parole à Fermín. Finalement, vaincu par les ventosités sulfuriques que celui-ci lui prodiguait dès l'aube, il changea de stratégie.

— Je vous avais prévenu, dit Fermín.

— C'est bien. Je me rends. Mon nom est Sebastián Salgado. Profession : syndicaliste. Serrons-nous la main et soyons amis, mais, je vous en prie, arrêtez de péter, parce que je commence à avoir des hallucinations et je vois en rêve Noi del Sucre danser le charleston.

En serrant la main de Salgado, Fermín remarqua qu'il lui manquait le petit doigt et l'annulaire.

— Fermín Romero de Torres, enchanté de faire enfin votre connaissance. Profession : agent des services secrets de renseignement au département Caraïbes de la généralité de Catalogne, pour l'heure en disponibilité. Par vocation, bibliographe et amoureux des belles-lettres.

Salgado leva les yeux au ciel.

— Et on prétend que le fou est Martín !

— Le fou est celui qui se prend pour quelqu'un de normal et qui croit que les autres sont des imbéciles.

Salgado acquiesça, battu.

Le deuxième événement eut lieu quelques jours plus tard, quand deux sentinelles vinrent chercher Fermín à la tombée de la nuit. Bebo leur ouvrit la cellule en tentant de cacher son inquiétude.

— Toi, le maigrichon, lève-toi! aboya l'une des sentinelles.

Salgado crut un instant que ses prières avaient été enten-
dues et qu'on emmenait son codétenu pour le fusiller.

— Courage, Fermín, l'exhorta-t-il en souriant. Mourir
pour Dieu et pour l'Espagne est le sort le plus beau.

Les deux sentinelles attrapèrent Fermín, lui mirent
des chaînes aux mains et aux pieds et le traînèrent, sous
le regard angoissé de toute la galerie et les sarcasmes de
Salgado.

— Cette fois, tu ne t'en tireras pas en pétant!

9.

Fermín fut conduit à travers un écheveau de tunnels jusqu'à un long couloir qui se terminait par une grande porte en bois. Il fut pris de nausées en songeant qu'il était arrivé au terme du misérable voyage de sa vie et que, derrière cette porte, l'attendait Fumero, avec un chalumeau et toute la nuit devant lui. À sa surprise, une des sentinelles lui enleva ses chaînes, tandis que l'autre frappait délicatement.

— Entrez, répondit une voix bien connue.

Ce fut ainsi que Fermín se retrouva dans le bureau de M. le directeur, une pièce luxueusement décorée avec des tapis soustraits à quelque hôtel particulier de la Bonavona et un mobilier à l'avenant. Clou du spectacle, il y avait là un drapeau espagnol avec aigle, blason et devise, un portrait du Caudillo plus retouché qu'une photo publicitaire de Marlene Dietrich, et le directeur en personne, don Mauricio Valls, souriant derrière sa table, savourant une cigarette d'importation et un verre de brandy.

— Assieds-toi. N'aie pas peur, l'invita-t-il.

Fermín aperçut près de lui un plateau portant une assiette fumante de viande, pois chiches et purée de pommes de terre qui sentait le beurre fondu.

— Ce n'est pas un mirage, déclara suavement M. le directeur. C'est ton dîner. J'espère qu'il est à ton goût.

Fermín, qui n'avait pas vu un tel prodige depuis 1936, se mit en devoir de dévorer la nourriture avant qu'elle s'évapore. M. le directeur le regardait manger avec une expression de dégoût et de mépris derrière un sourire factice. Il fumait cigarette sur cigarette et remettait toutes les minutes de l'ordre dans sa chevelure gominée. Quand le dîner fut terminé, Valls fit signe aux sentinelles de se retirer. Une fois seul, M. le directeur s'avéra beaucoup plus sinistre qu'en présence d'une escorte armée.

— Fermín, n'est-ce pas? s'enquit-il d'un air distrait.

Fermín acquiesça lentement.

— Tu dois te demander pour quoi je t'ai fait venir.

Fermín se recroquevilla sur sa chaise.

— Rien qui doive t'alarmer. Bien au contraire. Je veux améliorer tes conditions de vie et, qui sait, faire réviser ta condamnation, car nous savons tous les deux que les charges reconnues contre toi ne tiennent pas. C'est l'époque qui veut ça : tout est sens dessus dessous, et parfois les justes paient pour les pêcheurs. Tel est le prix de la renaissance nationale. Je veux que tu comprennes que je suis de ton côté. Moi aussi, je suis prisonnier dans ce fort. Je crois que nous souhaitons l'un et l'autre en sortir le plus vite possible, et j'ai pensé que nous pourrions nous entraider. Un petit cigare?

Fermín accepta timidement.

— Si ça ne vous gêne pas, je le garde pour plus tard.

— Bien sûr. Tiens, prends le paquet.

Fermín glissa le paquet dans sa poche. M. le directeur se pencha au-dessus de la table en souriant. Au zoo, ils avaient un serpent tout pareil, pensa Fermín, sauf qu'il ne mangeait que des souris.

— Que penses-tu de ton nouveau compagnon de cellule?

— Salgado? Charmant.

— Je ne sais pas si tu es au courant, mais, avant d'être coffrée, cette canaille était un pistolero et un sicaire des communistes.

Fermín fit signe qu'il l'ignorait.

— Il m'a dit qu'il était syndicaliste.

118

Valls émit un léger gloussement.

— En mai 38, il s'est introduit dans la maison de la famille Vilajoana, sur le Paseo de la Bonavona, et a tué tous les habitants, y compris les cinq enfants, les quatre femmes de chambre et la grand-mère de quatre-vingt-six ans. Tu sais qui étaient les Vilajoana ?

— Eh bien, comme ça, tout de suite...

— Des bijoutiers. Au moment du crime, il y avait dans la maison une somme de vingt-cinq mille pesetas en bijoux et espèces. Tu sais où est cet argent aujourd'hui ?

— Non.

— Ni toi ni personne. Le seul à le savoir est le camarade Salgado. Il a décidé de ne pas le remettre au prolétariat et l'a caché pour mener la grande vie après la guerre. Chose qu'il ne fera jamais, car nous le garderons ici jusqu'à ce qu'il chante ou que ton ami Fumero finisse par le découper en rondelles.

Fermín acquiesça, commençant à comprendre.

— J'ai remarqué qu'il lui manque deux doigts de la main gauche et qu'il marche d'une drôle de façon.

— Demande-lui un jour de baisser son pantalon et tu verras qu'il a perdu en chemin d'autres choses, à cause de son entêtement à ne pas avouer.

Fermín déglutit.

— Je veux que tu saches que ces méthodes de sauvage me répugnent. C'est une des deux raisons pour lesquelles j'ai ordonné qu'on place Salgado dans ta cellule. Je crois que plus on se parle, mieux on s'entend. Je veux donc que tu découvres où il a caché le butin des Vilajoana et celui de tous les vols qu'il a commis ces dernières années, et que tu me le dises.

Fermín sentit son cœur lui descendre dans les talons.

— Et l'autre raison ?

— La seconde raison est que, d'après ce que j'ai remarqué, ces derniers temps tu t'es lié d'amitié avec David Martín. Ce que je trouve très bien. L'amitié est une valeur qui ennoblit l'être humain et aide à la réhabilitation des détenus. J'ignore si tu sais que Martín est écrivain.

— J'ai entendu quelque chose à ce sujet.

M. le directeur lui adressa un regard glacé mais maintint son sourire conciliant.

— En réalité, Martín n'est pas un mauvais bougre, cependant il se trompe sur beaucoup de choses. Entres autres, il entretient l'idée naïve qu'il doit protéger des personnes et des secrets inavouables.

— Il est très bizarre, c'est pour cette raison qu'il a ce genre d'idées.

— Bien sûr. C'est pourquoi j'ai pensé que tu pourrais le surveiller, en ouvrant grand les yeux et les oreilles, et me rapporter ce qu'il raconte, ce qu'il pense, ce qu'il ressent... Il a sûrement raconté des choses qui ont attiré ton attention.

— Eh bien, maintenant que vous en parlez, monsieur le directeur, dernièrement il s'est plaint d'avoir un abcès à l'aine à cause du frottement de son caleçon.

M. le directeur soupira en se renfrognant, visiblement fatigué de manifester autant d'amabilité face à un tel rebut de la société.

— Écoute-moi bien, pauvre type, c'est à toi de choisir. Moi, j'essaie d'être compréhensif, pourtant il me suffit de prendre ce téléphone, et ton ami Fumero sera ici dans une demi-heure. Si j'ai bien compris, ces derniers temps, en plus du chalumeau, il garde dans un de ses cachots une caisse d'outils d'ébénisterie avec lesquels il accomplit des miracles. Me suis-je bien expliqué ?

Fermín serra les poings pour dissimuler son tremblement.

— À merveille. Pardonnez-moi, monsieur le directeur. Ça faisait si longtemps que je n'avais pas mangé de viande que les protéines ont dû me monter à la tête. Ça ne se reproduira pas.

M. le directeur sourit de nouveau et poursuivit, comme si de rien n'était :

— En particulier, j'aimerais savoir s'il lui est arrivé de mentionner un Cimetière des Livres Oubliés, ou Morts, ou quelque chose de ce genre. Réfléchis bien avant de répondre. Est-ce que Martín a évoqué ce lieu?

Fermín répondit par la négative.

— Je jure à Votre Excellence que, de toute ma vie, je n'ai jamais entendu M. Martín ni quiconque en parler...

M. le directeur lui fit un clin d'œil.

— Je te crois. Et c'est pour cette raison que je sais que, s'il le mentionne, tu me le répéteras. S'il ne le mentionne pas, tu aborderas le sujet et tu tâcheras de savoir où se trouve cet endroit.

Fermín acquiesça plusieurs fois de suite.

— Autre chose. Si Martín évoque certain travail dont je l'ai chargé, persuade-le que, pour son bien, et surtout celui de certaine dame qu'il tient en haute estime ainsi que du mari et du fils de celle-ci, mieux vaut qu'il s'emploie à fond et écrive son chef-d'œuvre.

— Il s'agit de Mme Isabella? s'enquit Fermín.

— Ah, je vois qu'il t'a parlé d'elle... Tu devrais la voir, dit-il en nettoyant ses lunettes avec un mouchoir. Toute jeune, avec ce teint frais de collégienne... Tu ne peux pas savoir le nombre de fois où elle s'est installée ici, à la place que tu occupes maintenant, pour me supplier de faire quelque chose pour le malheureux Martín. Je n'insisterai pas sur ce qu'elle m'a proposé car je suis un homme du monde, pourtant, entre nous, la dévotion que cette jeune personne affiche pour Martín est trop niaise. Je parierais que son enfant, Daniel, n'est pas de son mari mais de Martín qui, s'il a un goût lamentable en matière de littérature, l'a excellent en matière de donzelles.

M. le directeur s'arrêta en s'apercevant que Fermín l'observait d'un air impénétrable qui ne lui plut pas du tout.

— Qu'est-ce que tu regardes? l'agressa-t-il.

Il frappa du poing sur le bureau. À l'instant la porte s'ouvrit derrière Fermín. Les deux sentinelles le saisirent par les bras et le soulevèrent de sa chaise, ses pieds ne touchant plus le sol.

— Rappelle-toi ce que je t'ai proposé, lança M. le directeur. Je te reverrai dans un mois. Si tu m'apportes des résultats, je t'assure que ton séjour ici s'améliorera. Sinon, je te prendrai un ticket pour le cachot de la cave de Fumero et ses joujoux. Est-ce clair ?

— Comme de l'eau de roche.

D'un geste las, le directeur fit signe à ses hommes d'emmener le prisonnier et vida son verre de brandy, dégoûté d'avoir à traiter avec ce ramassis d'individus incultes et chaque jour plus vils.

10.

Barcelone, 1957

— **D**aniel, vous êtes blanc comme un linge, murmura Fermín en me tirant de mon cauchemar.
La salle à manger du Can Lluis et les rues que nous avions parcourues pour y arriver avaient disparu. Tout ce que j'étais capable de voir était ce bureau dans le fort de Montjuïc et le visage de cet homme parlant de ma mère avec des mots et des insinuations qui me brûlaient. Je sentis quelque chose de froid et de tranchant se frayer un chemin en moi, une rage comme je n'en avais jamais connu. Un instant, je souhaitai plus que tout au monde avoir devant moi ce misérable pour lui tordre le cou, jusqu'à ce qu'explosent les veines de ses yeux.

— Daniel...
Je fermai les yeux un instant et respirai profondément. Quand je les rouvris, j'étais de retour au Can Lluis et Fermín Romero de Torres me regardait, décomposé.
— Pardonnez-moi, Daniel, dit-il.
J'avais la bouche sèche. Je me servis un verre d'eau et le vidai dans l'espoir que les mots parviennent jusqu'à mes lèvres.
— Il n'y a rien à pardonner, Fermín. Rien de ce que vous m'avez raconté n'est votre faute.

— Ce qui est ma faute, avant tout, c'est de vous l'avoir raconté, murmura-t-il d'une voix presque inaudible.

Il baissa les yeux comme s'il n'osait pas m'observer. Je compris que la douleur qui l'envahissait, en se rappelant cet épisode et en devant me révéler la vérité, était si forte, que j'eus honte de la haine qui s'était emparée de moi.

— Fermín, regardez-moi.

Il réussit à m'adresser un coup d'œil par en dessous ; je lui souris.

— Je vous suis reconnaissant de m'avoir raconté la vérité, sachez-le. Et je comprends pourquoi vous avez préféré vous taire il y a deux ans.

Fermín acquiesça faiblement, pourtant quelque chose sur ses traits me fit comprendre que mes paroles ne lui étaient d'aucune consolation. Au contraire. Nous gardâmes le silence quelques instants.

— Il y a autre chose, n'est-ce pas ? demandai-je finalement.

Fermín fit signe que oui.

— Et la suite est encore pire ?

Nouveau signe d'assentiment de Fermín.

— Bien pire.

Je détournai la tête et souris au professeur Alburquerque qui s'en allait, non sans nous avoir préalablement salués.

— Dans ce cas, pourquoi ne pas commander une autre carafe d'eau et me raconter le reste ?

— Du vin serait mieux, estima Fermín. Un bon pinard.

11.

Barcelone, 1940

Une semaine après l'entrevue de Fermín avec M. le directeur, deux individus que personne n'avait jamais vus dans la galerie et qui sentaient à une lieue la Brigade sociale emmenèrent Salgado menotté sans prononcer un mot.

— Bebo, sais-tu où ils le conduisent? s'enquit le numéro 12.

Le gardien nia, mais c'était visible qu'il avait entendu quelque rumeur et préférait ne pas aborder le sujet. À défaut d'autres précisions, l'absence de Salgado fut immédiatement objet de débats et de spéculations de la part des prisonniers, qui formulèrent des théories de tout genre :

— C'était un espion infiltré par les nationalistes pour nous soutirer des informations. Il faisait comme s'ils l'avaient mis au trou parce qu'il était syndicaliste.

— Oui, c'est pour ça qu'ils lui ont arraché deux doigts et va savoir quoi encore, pour que tout soit plus convaincant.

— À cette heure, il doit être à l'Almaya en train de se taper du merlu à la basquaise avec ses copains en se moquant de nous.

— Moi, je crois qu'il a avoué ce qu'ils voulaient qu'ils dégoisent et qu'ils l'ont emmené au large pour le balancer à la mer avec une pierre au cou.

— Il avait une gueule de phalangiste. J'ai bien fait de ne pas piper mot, parce que vous autres, vous n'avez pas fini d'en baver.

— Tu as raison, ils sont même capables de nous mettre en prison.

À défaut d'autre passe-temps, les discussions se prolongèrent jusqu'à ce que, deux jours plus tard, les mêmes individus ramènent Salgado. La première chose que tout le monde constata fut que Salgado ne tenait pas debout et qu'ils le traînaient comme un colis. La seconde était qu'il était d'une pâleur de cadavre et inondé d'une sueur glacée. Le prisonnier était à demi nu et couvert d'une croûte brunâtre qui paraissait être un mélange de sang séché et d'excréments. Les inconnus le laissèrent choir dans la cellule comme s'il était un sac de fumier et repartirent sans desserrer les lèvres.

Fermín prit Salgado dans ses bras et l'étendit sur le châlit. Il entreprit de le laver lentement avec des lambeaux de tissu qu'il déchira de sa propre chemise et un peu d'eau que Bebo lui apporta en catimini. Salgado était conscient et respirait avec difficulté, mais ses yeux brillaient comme si l'on y avait mis le feu. Là où, deux jours auparavant, il y avait sa main gauche amputée de deux doigts se trouvait désormais un moignon de chair cautérisé avec du goudron. Pendant que Fermín lui nettoyait la figure, Salgado lui sourit en montrant le peu de dents qui lui restaient.

— Pourquoi ne dites-vous pas une bonne fois à ces bouchers ce qu'ils veulent savoir, Salgado ? Ce n'est que de l'argent. Je ne sais pas où vous l'avez caché, mais le jeu n'en vaut pas la chandelle.

— Et merde ! lâcha le blessé dans un souffle. Cet argent, il est à moi.

— Il est à tous ceux que vous avez assassinés et volés, si vous me permettez cette précision.

— Je ne l'ai volé à personne. Ce sont eux qui, avant, l'avaient volé au peuple. Et si je les ai exécutés, c'était pour rendre la justice que réclame le peuple.

126

— C'est ça. Encore une chance que vous soyez venu redresser les torts, vous, le Robin des Bois de Matadepera. Un vaillant justicier, voilà ce que vous êtes.

— Cet argent est mon avenir, cracha Salgado.

Fermín passa un linge humide sur le front glacé sillonné de plaies.

— On ne décide pas de son avenir : on le mérite. Vous n'avez pas d'avenir, Salgado. Ni vous ni un pays qui met au monde des bêtes nuisibles comme vous et comme M. le directeur, en faisant ensuite comme si de rien n'était. L'avenir, nous avons tous fait ce qu'il fallait pour le détruire, et la seule chose qui nous attende est de la merde comme celle dont vous dégoulinez et que j'en ai marre de nettoyer.

Salgado laissa échapper une sorte de gémissement guttural que Fermín interpréta comme un rire.

— Épargnez-vous les discours, Fermín. Vous allez finir par vous prendre pour un héros.

— Non. Des héros, il y en a trop. Moi, je suis un lâche. Ni plus ni moins. Au moins je le sais et je l'accepte.

Fermín continua de nettoyer Salgado comme il pouvait, en silence, puis il le couvrit du semblant de couverture grouillante de poux et puant l'urine qu'ils partageaient. Il resta auprès du voleur jusqu'à ce que Salgado ferme les yeux et sombre dans un sommeil dont Fermín ne fut pas sûr qu'il se réveillerait.

— Alors, il est enfin mort ? souffla la voix du numéro 12.

— Les paris sont ouverts, ajouta le 17. Une cigarette au gagnant.

— Vous feriez mieux de dormir ou d'aller vous faire foutre ! lança Fermín.

Il se rencogna à l'autre extrémité de la cellule et tâcha de trouver le sommeil, mais il comprit vite qu'il serait bon pour une nuit blanche. Au bout d'un moment, il colla son visage aux barreaux et laissa pendre les bras par-dessus la barre de métal horizontale qui les traversait. De l'autre côté du couloir, deux yeux éclairés par la braise d'une cigarette le guettaient.

— Vous ne m'avez pas raconté pourquoi Valls vous a convoqué, l'autre jour, dit Martín.

— À vous de l'imaginer.

— Une demande hors du commun ?

— Il veut que je vous tire les vers du nez à propos de je ne sais quel cimetière de livres ou un truc dans ce goût-là.

— Intéressant, commenta Martín.

— Fascinant.

— Il vous a expliqué les raisons de son intérêt ?

— Franchement, monsieur Martín, notre relation n'atteint pas ce degré d'intimité. M. le directeur se borne à me menacer de mutilations diverses et variées si je ne remplis pas mon mandat d'ici à un mois, et moi je me borne à acquiescer.

— Ne vous inquiétez pas, Fermín. Dans un mois, vous serez loin d'ici.

— Oui, sur une plage des Caraïbes avec deux mulâtresses bien nourries qui me masseront les pieds.

— Ayez confiance.

Fermín laissa échapper un soupir de découragement. Toutes les cartes de son destin étaient entre les mains de fous, de tueurs et de moribonds.

12.

Ce dimanche-là, après sa harangue dans la cour, M. le directeur lança un coup d'œil inquisiteur à Fermín, doublé d'un sourire qui lui fit monter la bile aux lèvres. Dès que les sentinelles eurent permis aux prisonniers de rompre les rangs, Fermín s'approcha subrepticement de Martín.

— Brillant discours, commenta ce dernier.

— Historique. Chaque fois que cet homme parle, l'histoire de la pensée en Occident connaît une révolution copernicienne.

— Le sarcasme ne vous va pas, Fermín. Il est en contradiction avec votre gentillesse naturelle.

— Allez en enfer.

— Je m'y emploie. Une cigarette ?

— Je ne fume pas.

— On prétend que ça aide à mourir plus vite.

— Dans ce cas, pourquoi pas ?

Fermín ne parvint pas à dépasser la première bouffée. Martín lui ôta la cigarette des doigts, puis lui donna des tapes dans le dos tandis qu'il toussait en recrachant jusqu'aux souvenirs de sa première communion.

— Je ne sais pas comment vous pouvez avaler ça. On croirait du chien roussi.

— Ce sont les meilleures cigarettes qu'on puisse trouver ici. On prétend qu'elles sont faites avec des mégots ramassés dans les couloirs de la Monumental.

— Eh bien moi, voyez-vous, leur *bouquet* me rappelle plutôt les pissotières.

— Respirez profondément, Fermín. Ça va mieux ?

Fermín acquiesça.

— Est-ce que vous pourriez me raconter quelque chose sur ce cimetière, pour que j'aie un peu de bidoche à balancer au goret en chef ? Pas besoin que ce soit la vérité. N'importe quelle absurdité qui vous passera par la tête fera l'affaire.

Martín sourit en expulsant la fumée fétide entre ses dents.

— Quelles nouvelles de votre compagnon de cellule, Salgado, le défenseur des pauvres ?

— Oh, vous savez, on croit qu'une fois arrivé à un certain âge on a tout vu de ce cirque qu'est le monde. Or ce matin, alors que tout laissait supposer que Salgado avait cassé sa pipe, je l'entends se lever et s'approcher de mon lit comme un vampire.

— Il y a quelque chose de ça chez lui, convint Martín.

— Toujours est-il qu'il s'approche et reste à me regarder fixement. Moi, je fais celui qui dort, et quand Salgado a mordu à l'hameçon, je le vois gagner un coin de la cellule et, avec la seule main qui lui reste, se mettre à fouiller dans ce que, en termes médicaux, on appelle rectum ou portion terminale du gros intestin.

— Quoi !

— Comme je vous dis. Le bon Salgado, convalescent de sa plus récente séance de mutilation médiévale, décide de fêter la première fois qu'il est capable de se lever en explorant cet endroit peu ragoûtant de l'anatomie humaine que la nature a privé de la lumière du soleil. Moi, incrédule, je n'ose même pas respirer. Une minute passe, et il semble que Salgado a deux ou trois doigts, ceux qui lui restent, enfoncés dedans, à la recherche de la pierre philosophale ou d'une hémorroïde très profonde. Le tout accompagné de gémissements étouffés que je ne reproduirai pas.

— Je reste de pierre, dit Martín.

— Maintenant, tenez-vous bien, voici le *gran finale*. Après une minute ou deux de prospection en territoire anal, il laisse échapper un soupir à la saint Jean de la Croix, et le miracle se produit. En ressortant les doigts du trou, il extrait quelque chose de brillant dont, même vu du coin où je suis, je peux certifier qu'il ne s'agit pas d'une crotte ordinaire.

— C'était quoi, alors ?

— Une clef. Pas une clef anglaise, une petite clef, comme celles d'une mallette ou d'un casier de gymnase.

— Et ensuite ?

— Il la nettoie en crachant dessus, parce que j'imagine qu'elle ne devait pas sentir la rose des bois, puis il va au mur où, après s'être assuré que je dors toujours, chose que je confirme par des ronflements très réussis, genre chiot de saint-bernard, il entreprend d'insérer la clef dans une fente entre les pierres qu'il recouvre après de saletés et, je ne l'exclus pas, d'un quelconque dérivé de sa palpation interne.

Martín et Fermín se dévisagèrent en silence.

— Vous pensez la même chose que moi ? s'enquit ce dernier.

Martín confirma.

— Combien croyez-vous que ce gentil bouton de giroflée ait pu cacher dans son petit nid tant convoité ? demanda Fermín.

— Suffisamment pour accepter de perdre des doigts, une main, une partie de sa masse testiculaire et de Dieu sait quoi encore, aventura Martín.

— Et maintenant, je fais quoi ? Parce que, plutôt que de permettre à cette vipère de M. le directeur de faire main basse sur le trésor de Salgado afin de financer l'édition cartonnée de ses chefs-d'œuvre et de s'acheter un fauteuil à l'Académie royale de la langue, je suis prêt à avaler cette clef ou, s'il le faut, à me l'introduire, moi aussi, dans les parties répugnantes de mon intestin.

— Ne faites rien pour le moment. Assurez-vous que la clef reste à sa place et attendez mes instructions. Je suis en train de mettre au point les derniers détails de votre évasion.

— Sans vouloir vous offenser, monsieur Martín, je vous suis infiniment reconnaissant de vos conseils et de votre soutien moral, mais dans cette affaire je risque mon cou et d'autres précieux appendices de mon anatomie. En outre, sachant que l'on répète un peu partout que vous travaillez du chapeau, et l'idée de mettre ma vie entre vos mains n'est pas sans m'inquiéter.

— Si vous ne faites pas confiance à un romancier, à qui ferez-vous confiance ?

Martín repartit dans la cour, enveloppé de son nuage portatif de cigarette composée avec des mégots.

— Sainte Vierge ! murmura-t-il au vent.

13.

Le macabre jeu de paris organisé par le numéro 17 se prolongea plusieurs jours, pendant lesquels, dès que Salgado paraissait sur le point d'expirer, il se relevait pour se traîner jusqu'aux barreaux de la cellule, d'où il hurlait à tue-tête son couplet « Filsdechiensvousnemeprendez pasuncentimejechiesurvotreputaindemère » et autres variations sur ce thème jusqu'au moment où, à force de s'égosiller, il retombait inanimé sur le sol. Fermín devait alors le ramasser et le remettre sur son châlit.

— Le Cafard est mort, Fermín ? demandait le numéro 17 dès qu'il l'entendait tomber raide.

Fermín ne se donnait pas la peine de fournir le bulletin médical de son compagnon de cellule. S'il passait l'arme à gauche, les autres verraient bien arriver le sac de toile.

— Écoutez, Salgado, si vous voulez mourir, faites-le pour de bon, et si vous avez décidé de vivre, je vous en prie, que ce soit en silence, parce que j'en ai par-dessus la tête de vos récitals de bave, s'énervait Fermín en le recouvrant d'un carré d'étoffe sale qu'il avait, en l'absence de Bebo, obtenu d'un gardien auquel il avait vanté les prodiges d'une prétendue recette scientifique pour séduire les jeunes filles en fleur en les appâtant avec du lait meringué et des beignets au miel.

— Ne me faites pas le coup de la charité, je ne suis pas dupe. Vous ne valez pas mieux que cette bande de charognards qui parient jusqu'à leur caleçon sur ma mort, répliquait Salgado, disposé à conserver sa méchanceté jusqu'à la fin.

— Écoutez, ce n'est pas que ça me plaise de contredire un mourant dans ses derniers instants, ou tout au moins ses derniers râles, mais sachez que je n'ai pas parié un sou dans cette loterie, et que si je dois un jour m'adonner au vice, ça ne sera pas celui de prendre des paris sur la vie d'un être humain, même si vous êtes humain comme moi je suis un coléoptère ! protesta Fermín.

— Ne croyez pas m'embobiner avec votre bavardage, répliqua le rusé Salgado. Je sais parfaitement ce que vous fricotez avec votre ami de cœur Martín et toute cette histoire de *Comte de Monte-Cristo*.

— Je ne sais pas de quoi vous parlez, Salgado. Dormez un moment ou un an, et personne ne s'en plaindra.

— Si vous croyez que vous allez vous évader d'ici, c'est que vous êtes aussi fou que lui.

Fermín sentit une sueur froide lui couler dans le dos. Salgado exhiba son sourire édenté par les coups.

— Je suis au courant, dit-il.

Fermín refusa d'en entendre davantage et alla se réfugier dans son coin, aussi loin qu'il le put de son codétenu. La paix dura à peine une minute.

— Mon silence a un prix, annonça Salgado.

— J'aurais dû le laisser mourir quand ils l'ont ramené, murmura Fermín.

— Pour vous manifester ma gratitude, je suis prêt à vous faire un prix spécial, insista Salgado. Je vous demande seulement de me rendre un dernier service, et je garderai le secret.

— Comment je peux savoir que ce sera le dernier ?

— Parce que vous vous ferez prendre, comme tous ceux qui ont essayé de se faire la malle, et quand ils vous auront bien chatouillé pendant quelques jours, vous aurez droit au garrot dans la cour pour que les autres puissent profiter de ce spectacle édifiant. Et alors je ne pourrai plus rien vous demander. Qu'en pensez-vous ? Un petit service et ma pleine et entière coopération. Je vous en donne ma parole d'honneur.

— Votre parole d'honneur ? Pourquoi ne l'avez-vous pas dit plus tôt ? Ça change tout.

— Approchez.

Fermín hésita un instant, puis il songea qu'il n'avait rien à perdre.

— Je sais que ce salaud de Valls vous a chargé de découvrir où je cache l'argent. Ne vous donnez pas la peine de nier.

Fermín se borna à hausser les épaules.

— Je veux que vous le lui disiez, déclara Salgado.

— Comme vous voulez, Salgado. Où est l'argent ?

— Le directeur doit y aller en personne, et seul. S'il se fait accompagner, il ne récupérera pas un douro. Il faut qu'il se rende à l'ancienne usine Vilardell, dans le Pueblo Nuevo, derrière le cimetière. À minuit. Pas avant et pas après.

— Tout ce mystère, Salgado, ça ressemble pour le moins à une pièce de théâtre de Carlos Arniches...

— Écoutez-moi bien. Précisez-lui qu'il doit entrer dans l'usine et chercher l'ancien pavillon de garde à côté de l'atelier de tissage. Une fois là, il doit frapper à la porte et, quand on lui demandera qui va là, il devra répondre : « Durruti vit. »

Fermín réprima un rire.

— C'est la plus grosse absurdité que j'aie entendue depuis le dernier discours du directeur.

— Limitez-vous à lui répéter ce que je vous ai dit.

— Et comment savez-vous que ce n'est pas moi qui irai, et qu'avec vos intrigues et vos mots de passe de roman de gare, ce n'est pas moi qui prendrai l'argent ?

La méchanceté luisait dans les yeux de Salgado.

— Pas la peine de répondre : parce que je serai mort, compléta Fermín.

Le sourire reptilien de Salgado débordait de ses lèvres. Fermín observa ces yeux dévorés par la soif de vengeance. Il comprit alors les intentions de Salgado.

— C'est un piège, hein?

Salgado ne répondit pas.

— Et si Valls s'en tire vivant? Vous avez pensé à ce qu'ils vous feront?

— Rien d'autre que ce qu'ils m'ont déjà fait.

— Je vous dirais bien que vous avez des couilles si je ne savais pas qu'il ne vous en reste plus que la moitié d'une... et plus rien du tout si ça rate, aventura Fermín.

Salgado tendit son unique main. Fermín la contempla quelques instants avant de la serrer à contrecœur.

14.

Fermín dut attendre le traditionnel discours du dimanche après la messe et le peu de temps à l'air libre dans la cour pour s'approcher de Martín et lui confier ce que Salgado lui avait demandé.

— Ça ne changera rien au plan, lui assura Martín. Obéissez. Dans les conditions présentes, nous pouvons nous permettre un mouchardage.

Fermín, dont les journées se partageaient entre nausées et tachycardie, essuya la sueur froide qui perlait de son front.

— Martín, ce n'est pas que je me méfie, mais si ce plan que vous avez préparé est si bon, pourquoi ne vous en servez-vous pas vous-même pour sortir d'ici?

Martín hocha la tête, comme si cela faisait des jours qu'il attendait cette question.

— Parce que je mérite d'être ici et que, même si ce n'était pas le cas, il n'existe aucun lieu pour moi en dehors de ces murs. Je n'ai nulle part où aller.

— Vous avez Isabella...

— Isabella est mariée à un homme dix fois meilleur que moi. Tout ce que j'obtiendrais en sortant d'ici serait de la rendre malheureuse.

— Pourtant, elle fait tout ce qu'elle peut pour vous faire sortir...

Martín manifesta son désaccord.

— Vous devez me promettre une chose, Fermín. C'est la seule que je vous demanderai en échange de mon aide pour votre évasion.

Décidément, c'est le mois des demandes, pensa Fermín en acceptant de bonne grâce.

— Tout ce que vous voudrez.

— Si vous réussissez à sortir, veillez sur elle, autant que cela vous sera possible. À distance, sans qu'elle le sache, ni même qu'elle connaisse votre existence. Veillez sur elle et sur son enfant, Daniel. Vous ferez ça pour moi, Fermín?

— Naturellement.

Martín eut un sourire triste.

— Vous êtes un brave homme, Fermín.

— Ça fait deux fois que vous le dites, et chaque fois ça me fait plus mal.

Martín tira de sa poche une de ses cigarettes pestilentielles et l'alluma.

— Nous n'avons pas beaucoup de temps. Brians, l'avocat engagé par Isabella pour s'occuper de mon cas, était ici hier. J'ai commis l'erreur de lui raconter ce que Valls attendait de moi.

— Lui réécrire cette cochonnerie...

— Exactement. Je l'ai prié de n'en rien révéler à Isabella, mais je le connais : tôt ou tard, il ne se retiendra plus. Et elle, que je connais encore mieux, entrera dans une fureur folle et viendra menacer Valls de clamer son secret aux quatre vents.

— Vous ne pouvez pas l'arrêter?

— Essayer d'arrêter Isabella, c'est comme essayer d'arrêter un train de marchandises : une mission pour des idiots.

— Plus vous me parlez d'elle, plus j'ai envie de la connaître. Moi, les femmes qui ont du caractère...

— Fermín, je vous rappelle votre promesse.

Fermín porta la main à son cœur et acquiesça solennellement. Martín poursuivit :

— Je reviens à ce que je disais. Quand ça arrivera, Valls sera capable de n'importe quelle sottise. Il est mû par la vanité, l'envie et la cupidité. S'il se sent acculé, il commettra un faux pas. J'ignore lequel, néanmoins je suis sûr qu'il tentera quelque chose. C'est important que vous ne soyez plus ici à ce moment-là.

— Ce n'est pas que j'aie très envie de rester...

— Vous ne me comprenez pas. Il faut avancer l'évasion.

— L'avancer ? Pour quand ?

Martín observa longuement Fermín à travers le rideau de fumée qui montait de ses lèvres.

— Pour cette nuit.

Fermín tenta d'avaler sa salive, mais il avait la bouche pleine de poussière.

— Je ne sais même pas en quoi consiste le plan !

— Ouvrez grand les oreilles.

15.

Cette même après-midi, avant de retourner dans sa cellule, Fermín s'approcha d'une des sentinelles qui l'avaient conduit au bureau de Valls.

— Prévenez M. le directeur que je veux lui parler.

— De quoi, si on peut savoir?

— J'ai les résultats qu'il attendait. Il comprendra de quoi il s'agit.

Une heure ne s'était pas écoulée quand la sentinelle et son camarade se présentèrent à la grille de la cellule numéro 13 pour prendre Fermín. Salgado observait tout de son châlit avec une expression canine, en massant son moignon. Fermín lui fit un clin d'œil et partit sous bonne garde.

M. le directeur le reçut avec un large sourire et une assiette de petits-fours de la Casa Escribá.

— Fermín, mon ami, quel plaisir de vous avoir de nouveau ici pour une conversation intelligente et productive. Asseyez-vous, je vous en prie, et dégustez ce délicat choix de pâtisseries que m'a apporté la femme d'un prisonnier.

Fermín, qui depuis des jours était incapable d'ingérer ne fût-ce qu'un grain de millet, prit une rousquille pour ne pas contredire Valls et la garda en main comme s'il s'agissait d'un gri-gri. Il remarqua que M. le directeur avait abandonné le tutoiement et augura que ce «vous» tout neuf ne pouvait qu'avoir des conséquences funestes. Valls se servit un verre de brandy et se laissa retomber dans son fauteuil de général.

— Alors? À ce que j'ai compris, vous m'apportez de bonnes nouvelles! s'exclama-t-il, l'invitant à parler.

Fermín confirma.

— Au chapitre des belles-lettres, je peux confirmer à Votre Excellence que Martín est plus que convaincu et motivé pour la réalisation du travail de nettoyage et de repassage que vous lui avez demandé. Mieux, il m'a affirmé que ce que vous lui avez confié est d'une si haute qualité et d'une telle distinction qu'il croit que sa tâche sera simple. D'après lui, il lui suffira d'ajouter des accents sur deux ou trois *i* du texte génial de M. le directeur pour obtenir un chef-d'œuvre en tout point digne de Paracelse.

Valls prit son temps pour absorber le torrent de paroles de Fermín, puis acquiesça poliment sans se départir de son sourire glacial.

— Pas besoin de me passer de la pommade, Fermín. Il me suffit de savoir que Martín collaborera. Nous n'ignorons ni l'un ni l'autre que le travail ne lui plaît pas, mais je me réjouis qu'il soit devenu raisonnable et qu'il ait compris qu'en me facilitant les choses il rend service à tout le monde. Maintenant, en ce qui concerne les deux autres points...

— J'y venais. Pour la nécropole des volumes perdus...

— Le Cimetière des Livres Oubliés, corrigea Valls. Avez-vous pu faire avouer à Martín où il se trouve?

Fermín confirma avec la plus grande conviction.

— À ce que j'ai pu en déduire, le susdit ossuaire est caché derrière un labyrinthe de galeries et de salles sous le marché du Borne.

Valls soupesa cette révélation, visiblement surpris.

— Et l'entrée?

— Je n'ai pas pu aller jusque-là, monsieur le directeur. J'imagine qu'il doit s'agir d'une trappe quelconque cachée derrière le carré nauséabond et hautement dissuasif des grossistes en légumes. Martín n'a pas voulu aborder le sujet et j'ai préféré ne pas faire trop pression sur lui, de peur qu'il se referme comme une huître.

Valls approuva lentement.

— Vous avez bien fait. Poursuivez.

— En ce qui concerne la troisième demande de Votre Excellence, profitant des râles d'agonie de l'abject Salgado, j'ai pu obtenir que, dans son délire, il confesse la cachette de l'abondant butin de ses agissements criminels au service de la franc-maçonnerie et du marxisme.

— Vous croyez donc qu'il va mourir ?

— D'un moment à l'autre. Je crois qu'il a déjà recommandé son âme à saint Léon Trotski et qu'il n'attend plus que le dernier soupir pour monter au politburo de la postérité.

Valls haussa les épaules.

— J'avais bien prévenu ces animaux qu'ils n'en tireraient rien par la force.

— Techniquement, ils lui ont arraché diverses gonades ou quelques membres, mais je suis de votre avis, monsieur le directeur : avec des bêtes nuisibles comme Salgado, la seule manière de s'y prendre est la psychologie appliquée.

— Et alors ? Où a-t-il caché l'argent ?

Fermín se pencha en avant et prit un ton confidentiel.

— C'est compliqué à expliquer.

— Ne tournez pas autour du pot, sinon je vous envoie dans la cave pour qu'on vous y rafraîchisse les cordes vocales.

Fermín se mit donc en devoir de vendre à Valls l'étrange histoire recueillie des lèvres de Salgado. M. le directeur l'écoutait, incrédule.

— Fermín, je vous préviens que si vous me mentez, vous vous en repentirez. Leurs petits jeux sur Salgado ne constitueront pas même un apéritif à côté de ce qu'ils vous infligeront.

— Excellence, je vous répète mot pour mot les propos de Salgado. Si vous le voulez, je vous le jure sur le glorieux portrait du Caudillo par la grâce de Dieu qui trône au-dessus de votre bureau.

Valls le dévisagea fixement. Fermín soutint son regard sans sourciller, comme le lui avait enseigné Martín. Finalement, M. le directeur se défit de son sourire et, une fois obtenu l'information, enleva l'assiette de gâteaux. Sans la moindre prétention de cordialité, il claqua des doigts, et les deux sentinelles entrèrent pour reconduire Fermín dans sa cellule.

Cette fois, Valls ne se donna même pas la peine de menacer Fermín. Tandis qu'on le traînait dans le couloir, le secrétaire du directeur les croisa et s'arrêta sur le seuil du bureau.

— Monsieur le directeur, Sanahuja, le médecin de la cellule de Martín...

— Oui. Quoi ?

— D'après lui, Martín a eu un évanouissement et il pense que ça peut être grave. Il demande l'autorisation d'aller à l'armoire à pharmacie...

Valls se leva, fou de rage.

— Et qu'est-ce que vous attendez ? Allez-y. Prenez-le avec vous et qu'il emporte ce dont il a besoin.

16.

Sur ordre de M. le directeur, un gardien fut posté devant la cellule de Martín pendant que le docteur Sanahuja lui prodiguait ses soins. C'était un jeune qui n'avait pas plus de vingt ans, nouveau dans le service. Bebo était censé prendre la garde de nuit, mais à sa place et sans explication s'était présenté ce novice tout frais débarqué de sa campagne, qui semblait même incapable de se débrouiller avec le trousseau de clefs et qui était plus nerveux que tous les prisonniers réunis. Il devait être neuf heures du soir quand le docteur Sanahuja, visiblement fatigué, s'approcha des barreaux et s'adressa au gardien.

— J'ai besoin de gaze propre et d'eau oxygénée.

— Je ne peux pas abandonner mon poste.

— Et moi je ne peux pas abandonner un patient. S'il vous plaît. De la gaze et de l'eau oxygénée.

Le gardien s'agita nerveusement.

— M. le directeur se fâche quand on ne suit pas ses instructions à la lettre.

— Il sera encore plus fâché si quelque chose arrive à Martín et s'il apprend que vous ne m'avez pas écouté.

Le jeune gardien soupesa la situation.

— Chef, argumenta le docteur, personne ne traversera les murs ou ne bouffera les barreaux...

Le gardien laissa échapper un juron et partit à toute allure. Pendant qu'il trottait en direction de l'armoire à pharmacie, Sanahuja attendit près des barreaux. Salgado dormait depuis deux heures, respirant avec difficulté. Fermín s'approcha silencieusement du couloir et échangea un regard avec le médecin. Sanahuja lui lança alors le paquet, qui n'était pas plus gros qu'un jeu de cartes, enveloppé dans un morceau de tissu ficelé. Fermín l'attrapa au vol et recula très vite dans l'ombre du fond de sa cellule. Quand le gardien revint avec ce que Sanahuja lui avait demandé, il alla aux barreaux et scruta la silhouette de Salgado.

— C'est la fin, dit Fermín. Je ne crois pas qu'il tiendra jusqu'au matin.

— Maintiens-le en vie jusqu'à six heures. Pour qu'il ne me fasse pas chier et qu'il meure quand j'aurai été relevé.

— On fera ce qui est humainement possible, répliqua Fermín.

17.

Cette même nuit, tandis que dans sa cellule Fermín défaisait le paquet lancé par le docteur Sanahuja, une Studebaker noire emportait M. le directeur sur la route qui descendait de Montjuïc vers les rues obscures bordant le port. Jaime, le chauffeur, prenait bien garde d'éviter les nids-de-poule ainsi que toutes les embûches susceptibles d'incommoder son passager ou d'interrompre le cours de ses pensées. Le nouveau directeur n'était pas comme l'ancien. Ce dernier aimait converser et, quelquefois, s'asseyait devant, à côté de lui. Le directeur Valls ne lui adressait pas la parole, sauf pour lui donner un ordre, et échangeait rarement un regard avec lui, à moins qu'il n'ait commis une erreur, qu'il soit passé sur une pierre ou qu'il ait pris un virage trop vite. Alors ses yeux flamboyaient dans le rétroviseur et une expression hargneuse se dessinait sur son visage. Le directeur Valls ne lui permettait pas d'allumer la radio, parce que, prétendait-il, les émissions diffusées étaient une insulte à son intelligence. Il ne lui permettait pas non plus de mettre les photos de sa femme et de sa fille sur le tableau de bord.

Par chance, à cette heure de la nuit, il n'y avait plus de circulation, et la route se fit sans cahot. En quelques minutes, la voiture dépassa les chantiers navals, contourna le monument à Christophe Colomb et enfila les Ramblas. Encore deux minutes, et elle arriva devant le café de l'Opéra, où elle s'arrêta. Le public du Liceo, de l'autre côté de la rue, était déjà entré pour la séance de la soirée et les Ramblas étaient presque désertes. Le chauffeur descendit et, après avoir vérifié qu'il n'y avait personne à proximité, ouvrit la porte arrière. M. le directeur sortit de la voiture et contempla distraitement le Paseo. Il ajusta sa cravate et égalisa les épaules de sa veste.

— Attendez ici, ordonna-t-il à Jaime.

Quand M. le directeur entra dans le café, celui-ci était presque vide de clients. L'horloge derrière le comptoir indiquait dix heures moins cinq. M. le directeur répondit au salut du garçon par un hochement de tête et s'assit à une table du fond. Il ôta méticuleusement ses gants et sortit son porte-cigarettes en argent, cadeau de sa belle-mère pour le premier anniversaire de son mariage. Il alluma une cigarette et contempla le vieux café. Le garçon s'approcha, plateau à la main, et passa sur la table un linge humide qui sentait la lessive. M. le directeur lui jeta un regard écœuré que l'employé ignora.

— Et pour monsieur ce sera?

— Deux camomilles.

— Dans la même tasse?

— Non. Dans des tasses séparées.

— Monsieur attend quelqu'un?

— Évidemment.

— Très bien. Autre chose?

— Du miel.

— Oui, monsieur.

Le garçon partit sans se presser, et M. le directeur murmura tout bas quelques mots méprisants. Une radio, au-dessus du comptoir, émettait le murmure d'une consultation sentimentale entrecoupée de publicités pour les cosmétiques Bella Aurora, dont l'usage quotidien garantissait jeunesse, beauté et vigueur. Quatre tables plus loin, un homme âgé semblait s'être endormi, un journal dans la main. Les autres tables étaient vides. Les deux tasses fumantes arrivèrent cinq minutes plus tard. Le garçon les posa avec une lenteur infinie, puis y joignit un pot de miel.

— Ce sera tout, monsieur ?

Valls confirma. Il attendit que le garçon ait regagné le comptoir pour tirer un flacon de sa poche. Il le déboucha et lança un coup d'œil à l'autre client, qui ne se réveillait toujours pas du knock-out où l'avait plongé la presse. Le garçon était au bar, lui tournant le dos, en train d'essuyer des verres.

Valls versa le contenu du flacon dans la tasse posée de l'autre côté de la table. Puis il ajouta une généreuse portion de miel et remua la camomille à la petite cuillère jusqu'à ce que le tout soit complètement dilué. À la radio, on lisait la missive angoissée d'une dame de Betanzos dont le mari, fâché, apparemment parce qu'elle avait laissé brûler l'estouffade de la Toussaint, était parti au café avec des amis pour écouter le match de football, ne restait plus à maison, et n'allait plus à la messe. On conseillait à cette dame de prier, d'être forte et de faire usage de ses armes de femme, mais dans les strictes limites de la famille chrétienne. Valls consulta de nouveau l'horloge. Il était dix heures et quart.

18.

À dix heures vingt, Isabella Sempere apparut à la porte. Elle portait un manteau simple, les cheveux attachés et n'était pas maquillée. Valls leva la main. La jeune femme resta un instant à l'observer, puis s'approcha lentement. Valls se mit debout et lui tendit la main avec un sourire aimable. Isabella ignora la main et s'assit.

— J'ai pris la liberté de commander deux camomilles, c'est ce qui convient le mieux par une nuit inclémente comme celle-ci.

Isabella acquiesça en évitant le regard de Valls. M. le directeur l'examina attentivement. Mme Sempere, comme chaque fois qu'elle venait le voir, avait fait tout son possible pour se présenter sous son plus mauvais jour et dissimuler sa beauté. Valls suivit des yeux le dessin de ses lèvres, le battement de sa gorge et la courbe de ses seins sous le manteau.

— Je vous écoute, dit-elle.

— Avant tout, permettez-moi de vous remercier d'être venue à ce rendez-vous dans un délai aussi bref. J'ai reçu votre lettre cette après-midi et j'ai pensé qu'il serait préférable de parler de la question hors de mon bureau et de la prison.

Isabella se borna à acquiescer de nouveau. Valls goûta à la camomille et se lécha les lèvres.

— Elle est très bonne. La meilleure de Barcelone. Goûtez-y.

Isabella ignora l'invite.

— Comme vous le comprendrez, c'est en toute dis-crétion. Puis-je vous demander si vous avez prévenu qui-conque de votre venue ici ce soir ?

Isabella hocha la tête.

— Votre mari, peut-être ?

— Mon mari fait un inventaire dans la librairie. Il ne rentrera chez nous qu'à une heure avancée. Personne ne sait que je suis ici.

— Voulez-vous que je commande autre chose ? Si la camomille ne vous plaît pas...

Isabella refusa et prit la tasse.

— C'est bien ainsi.

Valls sourit calmement.

— Comme je vous le disais, j'ai reçu votre lettre. Je com-prends votre indignation et je voulais vous expliquer que tout cela n'est qu'un malentendu.

— Vous faites du chantage à un pauvre malade mental, votre prisonnier, pour qu'il écrive une œuvre qui vous per-mettra de devenir célèbre. Jusque-là, je ne crois pas avoir mal compris.

Valls glissa une main vers Isabella.

— Isabella... Puis-je vous appeler ainsi ?

— Ne me touchez pas.

Valls retira sa main, en arborant une expression conci-liante.

— Très bien. Discutons tranquillement, c'est tout.

— Il n'y a rien à discuter. Si vous ne laissez pas David en paix, je ferai connaître votre histoire et votre fraude jusqu'à Madrid, ou plus loin encore si nécessaire. Tout le monde saura quel genre de personnage et quel genre de littérateur vous êtes. Rien ni personne ne m'arrêtera.

Les larmes perlaient dans les yeux d'Isabella et la tasse de camomille tremblait entre ses mains.

— Je vous en prie, Isabella. Buvez un peu. Ça vous fera du bien.

Isabella, absente, avala deux gorgées.

— Comme ça, avec quelques gouttes de miel, c'est délicieux, ajouta Valls.

Elle avala encore deux ou trois gorgées.

— Je dois vous avouer que je vous admire, Isabella. Peu de personnes auraient le courage et la force de défendre un pauvre malheureux comme Martín... quelqu'un que tous ont abandonné et trahi. Tous, sauf vous.

Isabella regarda nerveusement l'horloge au-dessus du comptoir. Il était dix heures trente-cinq. Elle vida la tasse de camomille.

— Vous devez beaucoup l'estimer, aventura Valls. Je me demande parfois si, avec le temps et quand vous me connaîtrez mieux, tel que je suis vraiment, vous pourrez m'estimer aussi fort que lui.

— Vous me donnez la nausée, Valls. Vous et toutes les ordures de votre espèce.

— Je sais, Isabella. Mais ce sont les ordures comme moi qui commandent, dans ce pays, et les gens comme vous qui restent dans l'ombre. Et ça, quels que soient ceux qui tiennent les rênes.

— Cette fois, non. Cette fois, vos supérieurs sauront ce que vous préparez.

— Qu'est-ce qui vous fait croire que ça les dérange ou qu'ils n'en font pas autant ou beaucoup plus que moi, qui suis seulement un amateur?

Valls sourit et tira de la poche de sa veste une feuille pliée.

— Isabella, je veux que vous sachiez que je ne suis pas celui que vous pensez. Pour vous le prouver, voici l'ordre de libération de David Martín, daté de demain.

Valls lui montra le document. Isabella l'examina, incrédule. Valls sortit son stylo et, sans hésiter, le signa.

— Voilà. David Martín est, techniquement, un homme libre. Grâce à vous, Isabella. Grâce à vous...

Isabella lui adressa un regard vitreux. Valls put constater que ses pupilles se dilataient lentement et qu'une pellicule de sueur affleurait sur sa lèvre supérieure.

— Vous vous sentez bien ? Vous êtes pâle...

Isabella se leva en titubant et se cramponna à sa chaise.

— Vous avez mal au cœur, Isabella ? Vous voulez que je vous raccompagne ?

Isabella recula de quelques pas et, en prenant le chemin de la sortie, heurta le garçon. Valls resta à sa place, savourant la camomille jusqu'à ce que l'horloge marque onze heures moins le quart. Il laissa alors quelques pièces de monnaie sur la table et marcha lentement vers la porte. La voiture l'attendait le long du trottoir, et Jaime lui tenait la portière ouverte.

— Monsieur le directeur veut-il aller chez lui ou au fort ?

— Chez moi, mais nous ferons d'abord une halte au Pueblo Nuevo, devant l'ancienne usine Vilardell, ordonna-t-il.

Sur le chemin qui le menait au butin promis, Mauricio Valls, future gloire des lettres espagnoles, contempla le défilé des rues noires et désertes de cette Barcelone maudite qu'il haïssait tant, et versa des larmes en pensant à Isabella et à ce qui aurait pu être et n'avait pas été.

19.

Lorsque Salgado s'éveilla de sa léthargie et ouvrit les yeux, la première chose qu'il vit fut quelqu'un en train de l'observer, immobile près de son châlit. Il éprouva un début de panique et, un instant, crut qu'il était encore dans la salle de la cave. La lumière vacillante qui flottait depuis les lampes du couloir dessina un visage connu.

— Fermín, c'est vous ?

La forme dans l'ombre acquiesça et Salgado respira profondément.

— J'ai la bouche sèche. Il reste un peu d'eau ?

Fermín se rapprocha lentement. Il portait quelque chose à la main : un chiffon et un flacon en verre. Il versa le liquide du flacon sur le tissu.

— Qu'est-ce que c'est, Fermín ?

Ce dernier ne répondit pas. Son visage était totalement inexpressif. Il se pencha sur Salgado.

— Fermín, non...

Avant qu'il ait pu prononcer une autre syllabe, Fermín lui plaqua le chiffon sur la bouche et le nez en appuyant très fort, tout en lui maintenant la tête sur le châlit. Salgado se débattait avec le peu de forces qui lui restaient. Fermín maintint le chiffon sur son visage. Salgado le regardait, terrifié. Quelques secondes plus tard, il perdit connaissance. Fermín enleva le chiffon. Il s'assit sur le châlit en tournant le dos à Salgado et attendit quelques minutes. Puis, comme lui avait dit Martín, il alla à la grille de la cellule.

— Gardien ! appela-t-il.

Il entendit les pas du nouveau approcher dans le couloir. Dans le plan de Martín, il était entendu que ce serait Bebo qui serait de service cette nuit-là, et non ce crétin.

— Qu'est-ce qui se passe, encore ? demanda le gardien.

— C'est Salgado, il a passé l'arme à gauche.

Le gardien hocha vigoureusement la tête avec une expression exaspérée.

— Il me fait chier, ce salopard. Et maintenant, on fait quoi ?

— Apportez le sac.

Le gardien maudit son sort.

— Si vous voulez, chef, c'est moi qui le mettrai dedans, proposa Fermín.

Le gardien accepta, presque avec gratitude.

— Si vous m'apportez le sac maintenant, vous pourrez aller prévenir pendant que je le mets dedans, et ils viendront le ramasser avant minuit, ajouta Fermín.

Le gardien hocha la tête avant de partir à la recherche du sac de toile. Fermín demeura à la grille de la cellule. De l'autre côté du couloir, Martín et Sanahuja l'observaient en silence.

Dix minutes plus tard, le gardien revint, incapable de dissimuler la nausée que lui occasionnait la puanteur de charogne du sac qu'il tenait par un coin. Fermín se retira dans le fond de la cellule sans attendre les instructions. Le gardien jeta le sac à l'intérieur.

— Prévenez-les maintenant, chef, comme ça ils enlèveront le macchabée avant minuit, sinon nous l'aurons ici jusqu'à demain soir.

— Vous êtes sûr que vous pouvez le mettre dedans tout seul ?

— Ne vous inquiétez pas, chef, j'ai l'habitude.

Le gardien acquiesça, pas entièrement convaincu.

— J'espère que la chance sera de notre côté, parce que

son moignon commence à suppurer et je ne vous dis pas ce que ça va sentir...

— Putain de merde ! cria le gardien en partant comme une flèche.

Dès qu'il l'eut entendu arriver au bout du couloir, Fermín entreprit de déshabiller Salgado, puis il se défit de ses propres vêtements. Il enfila les loques pestilentielles du voleur et lui mit les siennes. Il plaça Salgado de côté sur le châlit, le visage contre le mur. Après quoi il prit le sac de toile et se glissa dedans. Il allait le fermer quand il en ressortit à toute vitesse pour aller au mur. Il gratta des ongles la fissure entre les deux pierres où il avait vu Salgado cacher la clef et finit par en trouver la pointe. Il tenta de la saisir entre ses doigts, mais ceux-ci dérapaient sur la clef, qui restait coincée.

— Dépêchez-vous ! entendit-il Martín dire de l'autre côté du couloir.

Fermín tira de toutes ses forces sur la clef. L'ongle de son annulaire se détacha, et une vague de douleur l'aveugla pendant quelques secondes. Il étouffa un cri et porta le doigt à ses lèvres. Le goût de son sang, salé et métallique, lui remplit la bouche. Il rouvrit les yeux et vit qu'un centimètre de la clef saillait de la fissure. Cette fois, il put la retirer facilement.

Il revint se glisser dans le sac de toile et fit, comme il put, le nœud de l'intérieur, en laissant une ouverture de quelques centimètres. Il contint les envies de vomir qui montaient dans sa gorge et s'allongea par terre, en arrangeant les ficelles du sac de manière à ne laisser qu'une fente de la taille d'un poing. Il mit les doigts sur son nez, préférant respirer sa propre crasse plutôt que cette odeur de viande pourrie. Maintenant, songea-t-il, il n'avait plus qu'à attendre.

20.

Les rues du Pueblo Nuevo étaient plongées dans des
ténèbres épaisses et humides qui rampaient depuis
l'entassement des baraques et des cabanes de la
plage du Somorrostro. La Studebaker de M. le directeur
traversait lentement les voiles de brume et s'enfonçait
dans les gorges d'ombre formées par les fabriques, les
entrepôts et les hangars obscurs et décrépis. Les phares de
la voiture dessinaient devant eux deux tunnels de clarté.
Au bout d'un moment, la silhouette de l'ancienne filature Vilardell émergea du brouillard. Les cheminées et les
toits des ateliers désertés se profilèrent au fond de la rue.
Le grand portail était fermé par une grille à barreaux en
forme de lances ; derrière, on devinait un labyrinthe de
broussailles au milieu duquel se dessinaient les squelettes
de camions et de chariots laissés sur place. Le chauffeur
s'arrêta devant l'entrée de l'ancienne usine.

— Laissez tourner le moteur, ordonna M. le directeur.

Les faisceaux des deux phares révélaient, au-delà du
portail, l'état de délabrement de l'usine, bombardée pendant la guerre puis abandonnée, comme tant d'autres
constructions de la ville.

Sur un côté, on apercevait des baraquements dont les
issues étaient obturées par des planches et, face à des
remises qui semblaient avoir été dévorées par les flammes,
s'élevait ce que Valls supposa être l'ancien pavillon des
gardiens. La lueur rougeâtre d'une bougie ou d'une

lampe léchait les contours d'une des fenêtres fermées. M. le directeur observa posément le décor depuis le siège arrière de la voiture. Après avoir attendu quelques minutes, il se pencha en avant et s'adressa au chauffeur.

— Jaime, vous voyez cette maison à gauche, devant la remise ?

C'était la première fois que M. le directeur s'adressait à lui en l'appelant par son prénom. Quelque chose dans le ton soudain aimable et chaleureux lui fit regretter les manières froides et distantes habituelles.

— La petite maison ?

— C'est ça. Je veux que vous y alliez et que vous frappiez à la porte.

— Vous voulez que j'entre là-dedans ? Dans l'usine ?

M. le directeur laissa échapper un soupir d'impatience.

— Pas dans l'usine, non. Écoutez-moi attentivement. Vous voyez ce pavillon, n'est-ce pas ?

— Oui, monsieur.

— Très bien. Donc, vous allez à la grille, vous vous glissez entre les barreaux, là où il y a une ouverture suffisante, vous marchez jusqu'au pavillon et vous frappez à la porte. Jusqu'ici, tout est clair ?

Le chauffeur confirma avec un enthousiasme mitigé.

— Bien. Quand vous aurez frappé, quelqu'un vous ouvrira. À ce moment, vous lui direz : « Durruti vit. »

— Durruti ?

— Ne m'interrompez pas. Vous répéterez plus tard. On vous remettra quelque chose. Probablement une mallette ou un paquet. Vous me le rapporterez, et c'est tout. Simple, non ?

Le chauffeur était pâle et ne cessait de jeter des coups d'œil dans le rétroviseur, comme s'il s'attendait à ce que quelqu'un ou quelque chose surgisse brusquement de l'ombre.

— Du calme, Jaime. Il ne vous arrivera rien. Je vous le demande comme un service personnel. Dites-moi, vous êtes marié ?

— Ça fait maintenant trois ans, monsieur le directeur.

— Ah, très bien. Et vous avez des enfants?

— Une petite fille de deux ans, et ma femme attend un bébé, monsieur le directeur.

— La famille, Jaime, rien n'est plus important. Vous êtes un bon Espagnol. Si vous voulez bien, comme cadeau de baptême anticipé et en manière de remerciement pour votre excellent travail, je vous donnerai cent pesetas. Et si vous me rendez ce petit service, je vous recommanderai pour une promotion. Que penseriez-vous d'un emploi de bureau à la Députation? J'y ai de bons amis, et ils cherchent des hommes de caractère pour sortir ce pays de l'abîme où l'ont conduit les bolcheviks.

À la mention de l'argent et de cette intéressante perspective, un faible sourire apparut sur les lèvres du chauffeur.

— Ce n'est pas dangereux ou... ?

— Mais non, Jaime. Est-ce que moi, monsieur le directeur, je vous demanderais de faire quoi que ce soit de dangereux ou d'illégal?

Le chauffeur le regarda en silence. Valls lui sourit.

— Allons, répétez-moi ce que vous devez faire.

— Je vais à la porte de la maison et je frappe. Quand on ouvre, je dis : «Vive Durruti.»

— *Durruti vit.*

— C'est ça. «Durruti vit.» On me donne la mallette et je la rapporte.

— Et nous rentrons. Pas plus difficile que ça.

Le chauffeur acquiesça et, après un instant d'hésitation, descendit de la voiture et marcha vers la grille. Valls observa sa silhouette qui traversait le faisceau lumineux des phares et arrivait devant l'entrée. Là, Jaime se retourna un instant en direction de la Studebaker.

— Vas-y donc, imbécile! s'écria Valls à voix basse.

Le chauffeur se glissa entre les barreaux et, contournant les décombres et les broussailles, s'approcha lentement du pavillon. M. le directeur sortit le revolver qu'il portait dans la poche intérieure de son manteau et arma le percuteur. Le chauffeur s'arrêta devant la porte. Valls le vit frapper à deux reprises. Presque une minute s'écoula sans que rien ne se passe.

— Encore un coup, murmura Valls pour lui-même.

Le chauffeur regarda de nouveau vers la voiture, comme s'il ne savait que faire. Soudain, un bref rai de lumière jaune se dessina là où, un instant plus tôt, il n'y avait que la porte fermée. Valls vit le chauffeur prononcer le mot de passe. Il se retourna encore une fois pour jeter un coup d'œil vers la voiture en souriant. Le coup de feu, à bout portant, lui éclata la tempe et lui traversa le crâne. Un bouillonnement de sang jaillit de l'autre côté, et le corps, déjà cadavre, resta un instant debout, enveloppé dans un halo de poudre, avant de s'écrouler sur le sol tel un pantin cassé.

Valls quitta le siège arrière à toute vitesse et se mit au volant de la Studebaker. La main gauche tenant le revolver au-dessus du tableau de bord et le pointant vers l'entrée de l'usine, il passa la marche arrière et écrasa l'accélérateur. La voiture recula vers les ténèbres en cahotant sur les trous et les flaques qui parsemaient la rue. Pendant qu'il s'éloignait, il distingua les éclairs de plusieurs coups de feu à la porte de l'usine, mais aucun ne toucha la voiture. Il parcourut ainsi au moins deux cents mètres, avant de manœuvrer pour faire demi-tour et, accélérant à fond, s'éloigner en se mordant les lèvres de rage.

21.

Enfermé dans le sac, Fermín entendait à peine leurs voix.

— Tu peux dire qu'on a eu de la chance, annonça le gardien.

— Fermín s'est endormi, expliqua, de sa cellule, le docteur Sanahuja.

— Y en a qui ont du bol, fit le gardien. Bon, le voilà. Vous pouvez l'enlever.

Fermín sentit une brusque secousse quand l'un des croque-morts refit le nœud et le serra avec force. Puis, à deux, ils le soulevèrent et le traînèrent sans ménagement dans le couloir pavé. Fermín ne prit pas le risque de bouger un muscle.

Son corps fut impitoyablement criblé de coups, contre les marches, les coins, les portes. Il mit son poing sur sa bouche pour ne pas crier de douleur. Après un long périple, il perçut une brusque chute de température, accompagnée de la disparition de cet écho porteur de claustrophobie qui régnait dans tout le fort. Ils étaient dehors. Ils le traînèrent encore plusieurs mètres sur des pavés très durs et semés de flaques. Le froid commençait à pénétrer rapidement à travers le sac.

Finalement, on le souleva et on le balança dans le vide. Il atterrit sur ce qu'il lui parut être une surface en bois. Des pas s'éloignèrent. Il respira profondément. À l'intérieur du sac, ça puait les excréments, la viande pourrie et le gasoil. Il entendit un moteur de camion démarrer et, après une secousse, il sentit le mouvement du véhicule qui descendait une pente, faisant rouler le sac. Il comprit que le camion, cahotant et pétaradant, prenait lentement la même route pour gagner le bas de la montagne que celle par laquelle il était arrivé des mois plus tôt. Il se souvint que la montée avait été très longue, avec beaucoup de virages. Peu après, cependant, il nota que le véhicule tournait et roulait sur un terrain plat et rudimentaire, sans asphalte. Ils avaient changé de chemin. Fermín eut la certitude qu'ils revenaient à la montagne, au lieu de continuer à descendre vers la ville. Quelque chose clochait.

À cet instant seulement la pensée l'assaillit que Martín n'avait peut-être pas tout calculé, qu'un détail lui avait échappé. En fin de compte, personne ne savait avec précision ce qu'on faisait des cadavres des prisonniers. Il n'avait probablement pas envisagé que l'on pouvait se débarrasser des corps en les jetant dans une chaudière. Il imagina Salgado se réveillant de sa léthargie après le chloroforme, s'esclaffant et disant qu'avant de brûler en enfer Fermín Romero de Torres, ou quel que soit son foutu nom, avait été brûlé vivant.

Le trajet se prolongea quelques minutes. Bientôt, quand le véhicule ralentit, Fermín respira pour la première fois l'odeur. Une puanteur comme il n'en avait encore jamais connu. Son cœur se serra et, tandis que cette vapeur indicible lui donnait d'incoercibles nausées, il souhaita ne jamais avoir écouté ce fou de Martín et être resté dans sa cellule.

22.

En arrivant au fort de Montjuïc, M. le directeur se dirigea en hâte vers son bureau. Son secrétaire était rivé à sa petite table devant la porte, tapant à deux doigts la correspondance du jour.

— Laisse ça, et qu'on fasse venir tout de suite ce fils de pute de Salgado, ordonna-t-il.

Le secrétaire le regarda, décontenancé, hésitant à ouvrir la bouche.

— Ne reste pas planté là. Grouille-toi.

Le secrétaire se leva, effrayé, et tenta d'éviter l'air furibond de M. le directeur.

— Salgado est mort, monsieur le directeur. Cette nuit même...

Valls ferma les yeux et respira profondément.

— Monsieur le directeur...

Sans s'attarder à donner des explications, Valls partit en courant et ne s'arrêta qu'une fois arrivé à la cellule numéro 13. En le voyant, le gardien sortit de son assoupissement et fit le salut militaire.

— Excellence, qu'est-ce que...

— Ouvre. Et vite !

Le gardien obtempéra et Valls entra aussitôt. Il se dirigea vers le châlit et, attrapant par l'épaule le corps étendu dessus, il le tira avec force. Salgado roula sur le dos. Valls se pencha sur lui et flaira son haleine. Puis il se tourna vers le gardien qui l'observait, terrifié.

— Où est le corps ?

— Les gens des pompes funèbres l'ont emporté...

Valls lui lança une gifle qui l'expédia à terre. Deux sentinelles s'étaient avancées dans le couloir, dans l'attente des instructions du directeur.

— Je le veux vivant ! leur cria-t-il.

Les deux sentinelles partirent au pas de course. Valls resta là, appuyé aux barreaux de la cellule que partageaient Martín et le docteur Sanahuja. Le gardien, qui s'était relevé et n'osait même plus respirer, crut voir que M. le directeur riait.

— Une idée à vous, je suppose, hein, Martín ? questionna enfin Valls.

M. le directeur fit une ébauche de révérence et, s'éloignant dans le couloir, applaudit lentement.

23.

Fermín remarqua que le véhicule ralentissait encore et négociait les derniers obstacles du chemin de terre. Après deux ou trois minutes de nids-de-poule et de gémissements du camion, le moteur s'éteignit. La puanteur qui traversait le tissu du sac était indescriptible. Les deux croque-morts allèrent à l'arrière. Fermín entendit le bruit métallique de la poignée qui assurait la fermeture et, d'un coup, le sac fut tiré et jeté dans le vide.

Fermín heurta le sol de côté. Une douleur sourde se répandit dans son épaule. Avant qu'il ait pu réagir, les deux croque-morts ramassèrent le sac sur les cailloux et, chacun le prenant par un bout, remontèrent le chemin de quelques mètres. Ils le laissèrent de nouveau tomber. Fermín devina que l'un d'eux s'agenouillait pour défaire le nœud. Les pas de son collègue s'éloignèrent de quelques mètres et il put percevoir qu'il ramassait quelque chose de métallique. Il tenta d'aspirer de l'air, mais les miasmes lui brûlaient la gorge. Il ferma les yeux. L'air froid lui frôla le visage. Le croque-mort saisit le sac par l'extrémité cousue et le tira violemment. Le corps de Fermín roula sur les pierres et le terrain détrempé.

— Allons-y : à trois ! dit l'un.

Quatre mains le saisirent par les chevilles et les poignets. Fermín lutta pour contenir sa respiration.

— Dis donc, il transpire !

— Comment tu veux qu'un mort transpire, pauvre con ? Ce sont les flaques. À la une, à la deux, à la...

Trois. Fermín fut balancé en l'air. Un instant après il volait, et il s'abandonna à son destin. Il ouvrit les yeux en plein vol, et tout ce dont il put juger, avant d'atterrir, fut qu'il était précipité vers le fond d'une tranchée creusée dans la montagne. La clarté de la lune lui permettait seulement de distinguer quelque chose de pâle qui couvrait le sol. Il eut la certitude qu'il s'agissait de pierres et, sereinement, dans la demi-seconde qu'il mit à tomber, il décida que ça lui était égal de mourir.

L'atterrissage s'effectua en douceur. Fermín tomba sur quelque chose de mou et d'humide. Cinq mètres plus haut, un des croque-morts tenait une pelle dont il expédia le contenu en l'air. Une poussière blanchâtre se dispersa en formant un nuage brillant qui lui caressa la peau et, une seconde après, commença de le dévorer comme un acide. Les deux croque-morts s'en furent et Fermín se releva pour découvrir qu'il se trouvait au cœur d'une fosse ouverte dans la terre et remplie de cadavres couverts de chaux vive. Il essaya de secouer cette poussière de feu et rampa parmi les corps jusqu'à la paroi de terre. Il grimpa en enfonçant les mains dans la glaise, s'efforçant d'ignorer la douleur.

Arrivé en haut, il parvint à se traîner au bord d'une flaque d'eau sale pour se débarrasser de la chaux. Il se mit debout et put apercevoir les feux du camion qui s'éloignaient dans la nuit. Il se tourna un instant. Derrière lui, la fosse s'étendait à ses pieds tel un océan de cadavres étroitement entrelacés. La nausée le frappa si fort qu'il tomba à genoux, vomissant bile et sang sur ses mains. La puanteur de la mort et la panique lui permettaient à peine de respirer. Il entendit alors un bruit lointain. Il leva les yeux : les phares de deux voitures approchaient. Il courut sur le versant de la montagne et atteignit un petit terre-plein d'où l'on pouvait distinguer la mer en bas et le phare du port à la pointe du brise-lames.

168

En haut, le fort de Montjuïc se dressait entre les nuages noirs qui rampaient, masquant la lune. Le bruit des voitures résonnait plus fort. Sans y penser à deux fois, Fermín dévala la pente, tombant et roulant entre les troncs, les rochers et les broussailles qui le frappaient et lui arrachaient la peau. Il ne sentait plus ni douleur, ni peur, ni fatigue, jusqu'au moment où il arriva sur la route et se mit à courir en direction des hangars du port. Il courut sans arrêt, hors d'haleine, sans notion du temps ni conscience des blessures qui lui couvraient le corps.

24.

L'aube pointait quand Fermín arriva au labyrinthe infini du bidonville qui couvrait la plage du Somorrostro. La brume du petit matin rampait depuis la mer et serpentait entre les toits. Il s'enfonça dans les ruelles et les tunnels de la cité des pauvres et finit par s'écrouler entre deux tas de décombres. Là, il fut découvert par deux enfants en haillons qui traînaient des caisses en bois et qui s'arrêtèrent pour contempler cette silhouette squelettique dont le sang semblait couler par tous les pores.

Fermín leur sourit et, avec deux doigts, leur fit le signe de la victoire. Les enfants se regardèrent. L'un d'eux prononça quelques mots qu'il n'entendit pas. Il s'abandonna à son épuisement. Plus tard, il se rendit compte que quatre personnes le soulevaient et l'étendaient sur un sommier à côté d'un feu. Il sentit la chaleur sur sa peau tandis que, lentement, ses pieds, ses mains, ses bras redevenaient sensibles. La douleur vint après, comme une marée, tout aussi lente mais inexorable. Autour de lui des voix étouffées de femmes chuchotaient des paroles incompréhensibles. On lui ôta le peu de loques qu'il portait encore. Des linges imbibés d'eau chaude et de camphre caressèrent avec une infinie délicatesse son corps nu et brisé.

Il entrouvrit les paupières en sentant les mains d'une vieille sur son front, son regard usé et sage sur le sien.

— D'où viens-tu ? questionna cette femme que Fermín, dans son délire, crut être sa mère.

— D'entre les morts, mère, murmura-t-il. Je suis revenu d'entre les morts.

Renaître

1.

L'incident de l'ancienne usine Vilardell ne parvint jamais aux journaux. Personne n'avait intérêt à voir cette histoire sortir au grand jour. Seuls s'en souviennent ceux qui étaient présents. La même nuit où Mauricio Valls revint au fort pour découvrir que le prisonnier numéro 13 s'était évadé, l'inspecteur Fumero, de la Brigade sociale, fut avisé par M. le directeur du mouchardage d'un détenu. Le soleil ne s'était pas levé que déjà Fumero et ses acolytes avaient pris position.

L'inspecteur affecta deux de ses hommes à la surveillance du périmètre et concentra le reste devant l'entrée principale d'où, comme le lui avait indiqué Valls, on pouvait voir le pavillon. Le corps de Jaime Montoya, l'héroïque chauffeur du directeur de la prison qui s'était porté volontaire pour aller établir la véracité des allégations d'un détenu concernant des éléments subversifs, gisait toujours là, au milieu des décombres. Peu avant l'aube, Fumero donna l'ordre à ses policiers de pénétrer dans l'ancienne usine. Ils encerclèrent le pavillon et lorsque les occupants, deux hommes et une jeune femme, détectèrent leur présence, il n'y eut qu'un incident minime : la femme, qui portait une arme à feu, blessa un policier au bras. La blessure n'était qu'une éraflure sans importance. Ce contretemps mis à part, il ne fallut que trente secondes pour capturer les rebelles.

L'inspecteur ordonna alors de les enfermer tous les trois

dans le pavillon et d'y traîner également le corps du chauffeur mort. Fumero ne demanda ni noms ni papiers. Il commanda qu'on attache avec du fil de fer les mains et les pieds des rebelles à des chaises en métal rouillé qui avaient été remisées dans un coin. Quand ils furent immobilisés, Fumero posta ses hommes à la porte du pavillon et à l'entrée de l'usine, dans l'attente de ses instructions. Une fois seul avec les prisonniers, il ferma la porte et s'assit en face d'eux.

— Je n'ai pas dormi de la nuit et je suis fatigué. Je veux rentrer chez moi. Vous allez me dire où sont l'argent et les bijoux que vous avez cachés pour le compte du dénommé Salgado et tout ira bien, d'accord ?

Les prisonniers le regardaient avec un mélange de perplexité et de terreur.

— Nous ignorons tout de ces bijoux et d'un dénommé Salgado, dit le plus âgé.

Fumero acquiesça avec dégoût. Il promenait lentement ses yeux sur les trois prisonniers, comme s'il pouvait lire dans leurs pensées et trouvait celles-ci déprimantes. Après avoir hésité quelques instants, il choisit la femme et approcha sa chaise de manière à ne plus être qu'à quelques centimètres d'elle. La femme tremblait.

— Laisse-la tranquille, salaud ! cracha le plus jeune. Si tu la touches, je te jure que je te tuerai.

Fumero eut un sourire mélancolique.

— Tu as une bien jolie fiancée.

Navas, l'officier posté à la porte du pavillon, sentait la sueur froide inonder ses vêtements. Il tentait d'ignorer les hurlements qui venaient de l'intérieur, et quand ses camarades lui lancèrent des regards lourds d'interrogations depuis le portail de l'usine, il hocha négativement la tête.

Personne n'échangea une parole. Fumero était dans le pavillon depuis une demi-heure lorsque, finalement, la porte s'ouvrit. Navas s'écarta et évita de poser les yeux sur les taches humides parsemant le costume noir de l'inspecteur.

Fumero s'éloigna lentement vers la sortie et Navas, après avoir jeté un rapide coup d'œil à l'intérieur, réprima son envie de vomir et referma la porte. Sur un signe de Fumero, deux hommes s'approchèrent en portant deux bidons d'essence et en arrosèrent le périmètre et les murs du pavillon. Ils ne s'attardèrent pas à le voir brûler.

Quand ils revinrent à la voiture, Fumero les attendait assis sur le siège passager. Ils partirent en silence tandis qu'une colonne de fumée montait au milieu des ruines de l'ancienne usine, laissant une traînée de cendres qui se dispersait au vent.

2.

Fermín passa une semaine à délirer dans la baraque. Aucun linge humide ne parvenait à faire baisser la fièvre, aucun onguent n'était capable de calmer le mal qui, semblait-il, le dévorait de l'intérieur. Les vieilles de l'endroit, qui se relayaient fréquemment pour le soigner et lui administrer des toniques dans l'espoir de le maintenir en vie, chuchotaient que l'étranger portait en lui un démon et que son âme voulait fuir jusqu'au bout du tunnel pour se reposer dans le vide et le noir.

Le septième jour, l'homme que tous appelaient Armando et dont l'autorité, en ces lieux, se situait quelques centimètres au-dessous de celle de Dieu vint s'asseoir près du malade. Il examina ses plaies, souleva ses paupières et lut les secrets écrits dans ses pupilles dilatées. Les vieilles qui le soignaient, rassemblées derrière lui, attendaient dans un silence respectueux. Ayant apparemment appris ce qu'il voulait savoir, Armando quitta la baraque. Deux jeunes postés à la porte le suivirent jusqu'à la frange d'écume du rivage où se brisaient les vagues et écoutèrent attentivement ses instructions. Armando les regarda partir et demeura là, installé sur les débris d'une barque de pêcheur disloquée par la tempête et venue s'échouer entre la plage et le purgatoire.

Il alluma un petit cigare et le savoura dans la brise de l'aube. Tout en fumant, il réfléchissait à ce qu'il devait faire. Il sortit un morceau de page déchirée de *La Vanguardia*

179

qu'il gardait dans sa poche depuis plusieurs jours. Coincé entre des publicités pour des corsets et de brèves annonces de spectacles sur le boulevard Parallèle, figurait un petit article relatant l'évasion d'un détenu de la prison de Montjuïc. Le texte avait cet arrière-goût stérile des informations qui reproduisent mot pour mot le communiqué officiel. La seule licence que s'était permis le rédacteur était d'ajouter que, jamais auparavant, quelqu'un n'avait réussi à s'évader de cette forteresse inexpugnable.

Armando leva les yeux et contempla la montagne de Montjuïc qui s'élevait au sud. Le fort, dont les tours serrées flottaient dans la brume, dominait Barcelone. Armando eut un sourire amer et, avec la braise de son cigare, mit le feu à la coupure de presse, dont il observa les cendres s'éparpiller dans la brise. Les journaux, selon leur habitude, éludaient la vérité comme si leur vie en dépendait, et peut-être avaient-ils raison. Tout, dans cet article, puait les demi-vérités et les détails volontairement ignorés : ainsi, dans le cas présent, cette affirmation selon laquelle personne n'avait jamais réussi à s'évader de Monjuïc. Encore que pour une fois, pensa l'homme, c'était peut-être vrai, car lui-même, celui qu'on appelait Armando, n'était quelqu'un que dans le monde invisible de la cité des pauvres et des intouchables. Il est des époques et des lieux où n'être personne est davantage honorable qu'être quelqu'un.

3.

Les journées se traînaient interminablement. Armando venait une fois par jour à la baraque pour s'informer de l'état du moribond. La fièvre donnait de timides signes de diminution et l'enchevêtrement des coups, coupures et blessures qui couvraient son corps paraissait guérir peu à peu sous l'effet des onguents. Le moribond passait la plus grande partie de la journée à dormir en murmurant des paroles incompréhensibles entre veille et rêve.

— Il vivra ? demandait parfois Armando.

— Il n'a pas encore décidé, lui répondait la vieille femme dont le passage des ans brouillait à tel point les formes que le malheureux malade l'avait prise pour sa mère.

Les jours se cristallisèrent en semaines, et il devint vite évident que personne ne viendrait poser de question sur l'étranger, car personne ne pose de question sur ce qu'il préfère ignorer. Normalement, la police et la Garde civile n'entraient pas dans le Somorrostro. Une loi du silence établissait clairement que la ville et le monde finissaient aux portes du bidonville. De part et d'autre, on avait intérêt à maintenir cette frontière invisible. Armando savait que, de l'autre côté, nombreux étaient ceux qui, secrètement ou ouvertement, faisaient des vœux pour qu'un jour la tempête emporte à tout jamais la cité des pauvres, pourtant, jusqu'à ce que ce moment advienne, tous préféraient tourner le dos à la mer et à ceux qui tâchaient de survivre entre le rivage et la jungle des usines du Pueblo Nuevo. Même ainsi, Armando hésitait. L'histoire qu'il devinait derrière cet étrange locataire qu'ils avaient recueilli pouvait bien conduire à ce que la loi du silence soit brisée.

Au bout de quelques semaines, deux policiers encore novices vinrent demander si quelqu'un avait vu un homme qui ressemblait à l'étranger. Armando resta en alerte pendant des jours. Puis, aucune autre visite n'ayant eu lieu, il finit par comprendre que personne ne voulait retrouver cet homme. Peut-être était-il mort et ne le savait-il pas lui-même.

Un mois et demi après son arrivée, les blessures commencèrent à cicatriser. Quand l'homme ouvrit les yeux et demanda où il était, on l'aida à s'asseoir et à avaler un bouillon, mais on ne lui apprit rien.
— Vous devez vous reposer.
— Je suis vivant? demanda-t-il.
Nul ne lui confirma s'il l'était ou non. Ses journées s'écoulaient entre le sommeil et une fatigue qui ne le quittait pas. Chaque fois qu'il fermait les yeux et s'abandonnait au repos, il partait pour le même endroit. Dans son rêve, qui se répétait nuit après nuit, il escaladait les parois d'une fosse sans fond remplie de cadavres. Quand il arrivait en haut et se retournait pour regarder derrière lui, il voyait cette marée s'agiter tel un grouillement d'anguilles. Les morts ouvraient les yeux et grimpaient aux parois, le suivant à la trace. Ils le suivaient à travers la montagne puis entraient dans les rues de Barcelone, cherchant les lieux où ils avaient habité, frappant aux portes de ceux qu'ils avaient aimés. Certains allaient à la recherche de leurs assassins, mais la plupart souhaitaient seulement rentrer chez eux, retrouver leur lit, serrer dans leurs bras leurs enfants, leur femme, leur amante. Cependant, personne ne leur ouvrait, personne ne leur prenait la main et personne

ne voulait embrasser leurs lèvres. Alors le moribond, ruisselant de sueur, se réveillait dans l'obscurité avec, dans l'âme, le vacarme assourdissant des pleurs des morts.

Un inconnu venait souvent le visiter. Il sentait le cigare et l'eau de Cologne, deux denrées plutôt rares à cette époque. Il s'asseyait sur une chaise à côté de lui et l'observait d'un air impénétrable. Il avait les cheveux noirs comme du goudron et une figure en lame de couteau. Lorsqu'il se rendait compte que le malade était éveillé, il lui souriait.

— Vous êtes Dieu ou le diable? lui demanda un jour le moribond.

L'inconnu haussa les épaules et considéra la question.

— Un peu des deux, finit-il par répondre.

— Moi, en principe, je suis athée, l'informa le malade. Mais en réalité je garde la foi.

— Comme beaucoup de gens. Maintenant, reposez-vous, l'ami. Le ciel peut attendre. Et il n'y a plus de place en enfer.

4.

Entre les visites de l'homme aux cheveux couleur de jais, le convalescent se laissait nourrir, laver et habiller avec des vêtements propres trop grands pour lui. Quand il fut capable de tenir debout et de faire quelques pas, on l'accompagna jusqu'au bord de la mer. Il put y tremper les pieds et se laisser caresser par la lumière de la Méditerranée. Un jour, il passa la matinée à regarder des enfants vêtus de loques, le visage sale, jouer sur le sable, et il pensa qu'il avait envie de vivre, au moins encore un peu. Avec le temps, les souvenirs et la rage affleurèrent et, avec eux, le désir mais aussi la peur de retourner dans la ville.

Jambes, bras et autres engrenages commencèrent à fonctionner plus ou moins normalement. Il retrouva le plaisir d'uriner au vent sans brûlure ni incident humiliant et songea qu'un homme qui pouvait pisser sans aide était un homme en mesure d'affronter ses responsabilités. Cette même nuit, avant l'aube, il se leva en silence et s'en fut par les étroites ruelles du bidonville jusqu'à la limite marquée par les voies du chemin de fer. De l'autre côté s'élevaient la forêt de cheminées et les pentes couvertes d'anges et de mausolées du cimetière. Plus loin encore, dans un voile de lumières qui montait le long des collines, il y avait Barcelone. Il entendit des pas derrière lui et, en se retournant, il rencontra le regard serein de l'homme aux cheveux de jais.

— C'est votre seconde naissance, dit ce dernier.

— Reste à savoir si celle-là sera meilleure que la première, parce que la vie que j'ai eue...

L'homme aux cheveux de jais sourit.

— Permettez-moi de me présenter. Je suis Armando, le Gitan.

Fermín lui serra la main.

— Fermín Romero de Torres, gadjé, mais gitan de cœur.

— Mon cher Fermín, il m'a semblé que vous pensiez retourner là-bas.

— Tôt ou tard, la chèvre revient à sa montagne. J'ai laissé pas mal de choses inaccomplies.

Armando acquiesça.

— Je comprends, pourtant le moment n'est pas encore venu, mon ami. Prenez patience. Restez quelque temps avec nous.

La peur de ce qui l'attendait à son retour et la générosité de ces gens le retinrent jusqu'à ce que, un matin de dimanche, il emprunte un journal à un gamin qui l'avait trouvé dans les poubelles d'une buvette sur la plage de la Barceloneta. Le temps que le journal avait passé dans les ordures était difficile à déterminer, mais la date le situait trois mois après la nuit de son évasion. Il passa les pages au peigne fin à la recherche d'un indice, d'un signe ou d'une mention, en vain. L'après-midi, alors qu'il avait déjà décidé de revenir à Barcelone, Armando l'informa qu'un de ses hommes était passé à la pension où il avait logé.

— Fermín, il vaut mieux que vous n'alliez pas là-bas pour récupérer vos affaires.

— Comment connaissez-vous mon domicile?

Armando sourit en négligeant la question.

— La police leur a dit que vous étiez décédé. Une note concernant votre mort a paru il y a quelques semaines dans les journaux. J'ai préféré me taire, car lire l'annonce de son décès n'aide pas un convalescent.

— De quoi suis-je décédé ?

— De cause naturelle.

— Alors, je suis mort ?

— Aussi mort que la polka.

Fermín soupesa les implications de son nouveau statut.

— Et maintenant, je fais quoi ? Je vais où ? Je ne peux pas abuser indéfiniment de votre bonté et vous mettre en danger.

Armando s'assit près de lui et alluma une de ces cigarettes qu'il roulait lui-même et qui sentaient l'eucalyptus.

— Fermín, vous pouvez faire ce que vous voulez, parce que vous n'existez plus. Je vous dirais presque de rester avec nous, car vous êtes désormais l'un des nôtres, nous qui n'avons ni nom ni visage. Nous sommes des fantômes. Invisibles. Mais je sais que vous devez régler les affaires qui vous y attendent. Malheureusement, hors d'ici je ne peux pas vous protéger.

— Vous en avez déjà assez fait pour moi.

Armando lui tapa sur l'épaule et lui tendit une feuille de papier pliée qu'il avait sortie de sa poche.

— Tenez-vous pendant un temps à l'écart de la ville. Laissez passer un an et, quand vous y retournerez, commencez par aller là, conseilla-t-il.

Fermín déplia la feuille et lut :

FERNANDO BRIANS
Avocat
Calle de Caspe 12
Sobreático 1a
Barcelone. Tél. 564375

— Comment pourrai-je jamais vous payer de ce que vous avez fait pour moi ?

— Quand vous aurez réglé vos affaires, passez un jour par ici et demandez-moi. Nous irons voir danser Carmen Amaya et, ensuite, vous me raconterez comment vous avez pu vous évader de là-haut. Je serais curieux de l'apprendre, dit Armando.

Fermín acquiesça lentement.

— Dans quelle cellule étiez-vous, Armando ?

— La 13.

— Les croix sur le mur, c'était vous ?

— À la différence de vous, Fermín, moi, je suis croyant, simplement je n'ai plus la foi.

Ce soir-là personne ne l'empêcha de s'en aller ni ne lui dit adieu. Il partit, invisible parmi les invisibles, vers les rues d'une Barcelone où régnait l'électricité. Il aperçut au loin les tours de la Sagrada Familia échouées au milieu d'une couche de nuages rouges et menaçants comme une tempête biblique, et poursuivit son chemin. Ses pas le portèrent à la gare routière de la rue Trafalgar. Dans les poches du manteau que lui avait donné Armando, il y avait de l'argent. Il acheta un billet pour la destination la plus lointaine qu'il trouva et passa la nuit dans le bus, roulant sur des routes désertes fouettées par la pluie. Il fit la même chose le lendemain, et ainsi, après des journées de train, de marche et de bus de nuit, il finit par arriver là où les rues n'avaient pas de nom, les maisons pas de numéro, et où personne ne se souvenait de lui.

Il fit cent métiers et n'eut aucun ami. Il gagna de l'argent qu'il dépensa. Il lut des livres qui parlaient d'un monde auquel il ne croyait plus. Il commença des lettres sans jamais les terminer. Plus d'une fois, il alla au bord d'un pont ou d'une balustrade et contempla sereinement l'abîme. Au dernier moment lui revenaient toujours en mémoire cette promesse qu'il avait faite et le regard du Prisonnier du Ciel. Au bout d'un an, il quitta la chambre qu'il avait louée au-dessus d'un café et, sans autre bagage qu'un exemplaire de *La Ville des maudits* découvert sur un marché, peut-être le seul des livres de Martín qui n'avait pas été brûlé et qu'il avait lu une douzaine de fois, il parcourut les deux kilomètres qui le séparaient de la gare et acheta le billet qui l'avait attendu pendant tous ces mois.

— Un aller pour Barcelone, s'il vous plaît.

Le préposé composa le billet et le lui remit avec un air méprisant.

— Quelle idée, aller chez ces Polaks de merde !

5.

La nuit tombait quand Fermín descendit du train à la gare de France. La locomotive avait craché un nuage de vapeur et de suie qui rampait sur le quai et voilait les pas des voyageurs débarquant après le long trajet. Fermín se joignit à la marche silencieuse vers la sortie, au milieu d'individus vêtus d'habits élimés qui traînaient des valises attachées par des courroies, de vieux avant l'âge qui portaient tous leurs biens dans un ballot, et d'enfants aux yeux et aux poches vides.

Deux hommes de la Garde civile surveillaient l'entrée du quai. Fermín nota qu'ils promenaient leur regard sur les passagers et en arrêtaient certains pour exiger leurs papiers. Il se dirigea en ligne droite vers l'un d'eux. Une douzaine de mètres l'en séparaient encore quand il remarqua que le garde civil l'observait. Dans le roman de Martín qui lui avait tenu compagnie durant tant de mois, un des personnages affirmait que le meilleur moyen de désarmer l'autorité est de s'adresser à elle avant qu'elle ne s'adresse à vous. Avant que l'agent ait pu lui faire signe, Fermín l'aborda d'une voix très calme.

— Bonsoir, chef. Seriez-vous assez aimable pour m'indiquer où se trouve l'hôtel Provenir ? Je sais que c'est sur la place Palacio, mais je ne connais presque pas Barcelone.

Le garde civil l'examina en silence, un peu décontenancé. Son camarade s'était approché et couvrait son flanc droit.

— Demandez ça à la sortie, dit-il sans aménité.

Fermín remercia poliment.

— Pardon de vous avoir dérangé. C'est ce que je vais faire.

Il s'apprêtait à repartir vers le hall de la gare quand l'autre agent le retint par le bras.

— La place Palacio est à gauche en sortant. Devant la capitainerie.

— Merci beaucoup. Passez une bonne nuit.

Le garde civil le lâcha et Fermín s'éloigna lentement en mesurant ses pas jusqu'au hall, et de là dans la rue.

Un ciel écarlate couvrait une Barcelone noire, parcourue de silhouettes obscures et sans relief. Un tramway à demi vide se traînait en projetant une lumière blafarde sur les pavés. Fermín attendit qu'il soit passé pour traverser. Tandis qu'il évitait les rails luisants, il contempla la perspective que dessinaient le Paseo Colón et, au fond, la montagne de Montjuïc avec le fort dominant la ville. Il baissa les yeux et emprunta la rue Comercio en direction du marché du Borne. Les rues étaient désertes et une bise glaciale soufflait dans les ruelles. Il n'avait nulle part où aller.

Il se rappela que Martín lui avait raconté que, des années plus tôt, il avait habité près de là, dans une vieille bâtisse encastrée dans l'étroite gorge d'ombre de la rue Flassaders, près de la fabrique de chocolats Maurí. Il prit cette direction, avant de constater que l'immeuble et la fabrique mitoyenne avaient été la proie des bombardements pendant la guerre. Les autorités ne s'étaient pas donné le mal d'enlever les décombres, et les habitants, probablement afin de pouvoir circuler dans une rue plus étroite que le couloir de certaines maisons du quartier noble, s'étaient contentés de déblayer les éboulis et de les amonceler hors du passage.

Fermín regarda autour de lui. On percevait à peine quelques lumières de lampes et de bougies qui exhalaient une vague clarté depuis les balcons. Il s'avança entre les ruines, contournant les débris, gargouilles brisées et poutres enchevêtrées qui formaient des nœuds inextricables. Il essaya de repérer un creux entre les décombres et se pelotonna à l'abri d'un moellon sur lequel on pouvait encore lire le numéro 17, l'ancien domicile de David Martín. Il resserra son manteau et les vieux journaux qu'il portait sous ses vêtements. Ainsi recroquevillé, il ferma les yeux et tenta de dormir.

Une demi-heure s'écoula ainsi. Le froid commença à pénétrer dans ses os. Un vent chargé d'humidité léchait les ruines en cherchant à se glisser dans les moindres fissures. Fermín ouvrit les yeux et se leva. Il tentait de trouver un coin plus abrité quand il aperçut une silhouette qui l'observait depuis la rue. Il resta immobile.

— Qui va là ? lança-t-il.

La forme s'approcha un peu plus, et la lueur d'un lointain réverbère dessina son profil. C'était un homme de haute taille, bien bâti, tout de noir vêtu. Fermín avisa le col. Un prêtre. Il leva les mains en signe de paix.

— Je m'en vais tout de suite, mon père. S'il vous plaît, n'appelez pas la police.

Le prêtre l'examina de haut en bas. Il avait un regard sévère et l'air d'avoir passé la moitié de sa vie à soulever des sacs sur le port plutôt que des calices.

— Vous avez faim ? demanda-t-il.

Fermín, qui aurait mangé n'importe quel caillou environnant pourvu qu'on le lui assaisonne de trois gouttes d'huile d'olive, nia.

— Je viens de dîner aux Siete Puertas et je me suis gavé de riz aux calamars.

Le prêtre esquissa un sourire. Il fit demi-tour et repartit.

— Venez, ordonna-t-il.

6.

Le père Valera logeait au dernier étage d'un immeuble situé sur le Paseo du Borne qui donnait directement sur les toits du marché. Fermín expédia avec enthousiasme trois assiettes de soupe, un certain nombre de quignons de pain sec et deux verres de vin additionné d'eau que le curé posa devant lui, tout en l'examinant avec curiosité.

— Vous ne mangez pas, mon père ?

— Je n'ai pas l'habitude de dîner. Profitez, on croirait que vous n'avez pas mangé depuis 1936.

Pendant qu'il avalait bruyamment la soupe et le pain, Fermín promenait son regard sur la salle à manger. À côté de lui, une vitrine contenait une collection d'assiettes et de verres, divers saints et ce qui semblait être de modestes couverts en argent.

— Moi aussi, j'ai lu *Les Misérables,* alors chassez cette idée, prévint le prêtre.

Fermín protesta, tout honteux.

— Comment vous appelez-vous ?

— Fermín Romero de Torres, pour vous servir.

— Vous êtes recherché, Fermín ?

— C'est selon. Une histoire compliquée.

— Si vous ne voulez pas me la raconter, ce n'est pas mon affaire. Mais avec ces vêtements, vous ne pourrez pas aller bien loin. Vous finirez au poste avant d'atteindre la rue Layetana. Ils arrêtent beaucoup de gens qui sont restés longtemps cachés. Il faut être très prudent.

— Dès que j'aurai mis la main sur certains fonds bancaires actuellement en état d'hibernation, je pense passer au Dique Flotante et en ressortir sapé comme un lord.

— Voyons, levez-vous un instant.

Fermín lâcha sa cuillère et se mit debout. Le prêtre le détailla des pieds à la tête.

— Ramón en faisait deux comme vous, pourtant je pense que certains vêtements de sa jeunesse vous iront.

— Ramón ?

— Mon frère. Il a été tué en bas, dans la rue, à la porte de l'immeuble, en mai 38. Ils venaient pour moi, mais il s'est interposé. Il était musicien. Il jouait dans l'orchestre de la ville. Premier trompette.

— Je suis vraiment désolé, mon père.

— Presque tout le monde a perdu un proche, d'un bord comme de l'autre.

— Je ne suis d'aucun bord, répliqua Fermín. Pour moi, les drapeaux sont des chiffons de couleur qui sentent le renfermé, et il me suffit de voir quelqu'un se draper dedans et se remplir la bouche d'hymnes pour que ça me donne la colique. J'ai toujours pensé que pour s'attacher si fort à un troupeau, il faut avoir quelque chose du mouton.

— Ça ne doit pas être tous les jours rose pour vous, dans ce pays.

— Vous n'imaginez pas à quel point. Pourtant l'accès direct à un bon jambon de campagne compense tout. Et on est tous logés à la même enseigne.

— C'est vrai, Fermín. Depuis quand n'avez-vous pas mangé un bon jambon de campagne ?

— Depuis le 6 mars 1934. Los Caracoles, rue Escudellers. Dans une autre vie.

Le prêtre sourit.

— Vous pouvez rester passer la nuit ici, Fermín, mais demain il vous faudra chercher ailleurs. Les gens parlent. Je peux vous donner un peu d'argent pour vous payer une

196

pension, malheureusement toutes demandent la carte d'identité et inscrivent leurs locataires sur la liste du commissariat.

— Pas besoin de me le préciser, mon père. Demain, avant le lever du soleil, je file plus vite que la bonne volonté. Et je n'accepterai pas un centime de vous, j'ai déjà suffisamment abusé de...

Le prêtre leva la main en manière de dénégation.

— Allons voir dans les affaires de Ramón si quelque chose peut vous aller, déclara-t-il en se levant de table.

Le père Valera insista pour munir Fermín d'une paire de chaussures moyennement usagées, d'un costume en laine modeste mais propre, de sous-vêtements de rechange et de quelques objets de toilette qu'il rangea dans une valise. Sur une étagère étaient posées une trompette étincelante et plusieurs photos de deux hommes jeunes et bien bâtis, qui souriaient dans ce qui semblait être les fêtes de Gracia. Il fallait se donner beaucoup de mal pour se rendre compte que l'un des deux était le père Valera : il paraissait avoir aujourd'hui trente ans de plus.

— Je n'ai pas d'eau chaude. On ne remplit la citerne que le matin et donc, soit vous attendez, soit vous prenez ce qui reste dans le pot à eau.

Pendant que Fermín se débarbouillait comme il le pouvait, le père Valera prépara une cafetière remplie d'une espèce de chicorée mêlée à d'autres substances d'aspect vaguement louche. Il n'y avait pas de sucre, néanmoins cette tasse d'eau sale chaude était bienvenue.

— On se croirait presque en Colombie en train de savourer du café de premier choix, dit Fermín.

— Vous êtes un homme étrange, Fermín. Puis-je vous poser une question personnelle ?

— Je serai couvert par le secret de la confession ?

— Oui.

— Alors, allez-y.

— Avez-vous déjà tué quelqu'un ? À la guerre.

— Non.

— Moi, si.

Fermín resta immobile, sa tasse à demi pleine. Le prêtre baissa les yeux.

— Je ne l'avais encore jamais confié à personne.

— Ça restera sous le secret de la confession, lui assura Fermín.

Le prêtre se frotta les yeux et soupira. Fermín se demanda depuis combien de temps cet homme vivait là, en la seule compagnie de ce secret et du souvenir de son frère mort.

— Je suis sûr que vous aviez vos raisons, mon père.

Le prêtre hocha négativement la tête.

— Dieu a abandonné ce pays, dit-il.

— D'accord, mais soyez sans crainte, dès qu'il aura vu ce qui se passe au nord des Pyrénées, il reviendra la queue entre les jambes.

Le prêtre demeura un long moment silencieux. Ils vidèrent l'ersatz de café et Fermín, pour encourager le pauvre prêtre qui paraissait plus abattu de minute en minute, se servit une seconde tasse.

— Vous aimez vraiment ça ?

Fermín confirma.

— Voulez-vous que je vous entende en confession ? demanda soudain le prêtre. Maintenant, sans plaisanter.

— Ne vous vexez pas, mon père, mais c'est que ces choses-là, je n'arrive pas à y croire...

— Peut-être que Dieu, lui, croit en vous.

— J'en doute.

— Il n'est pas nécessaire de croire en Dieu pour se confesser. Ça se passe entre vous et votre conscience. Qu'avez-vous à y perdre ?

Pendant presque deux heures, Fermín relata au père Valera tout ce qu'il avait tu depuis qu'il s'était évadé du fort, plus d'un an auparavant. Le père l'écoutait, concentré, acquiesçant par moments. À la fin, quand Fermín

198

sentit qu'il s'était vidé et libéré d'une dalle qui pesait sur lui depuis longtemps, l'asphyxiant sans qu'il s'en rende compte, le père sortit d'un tiroir un flacon d'alcool et lui servit ce qui restait de ses réserves.

— Vous ne me donnez pas l'absolution, mon père? Juste une lampée de cognac?

— C'est pareil. Et puis je ne suis plus en mesure de pardonner ou de juger, Fermín. Pourtant je crois que c'était bien que vous sortiez tout cela. Que pensez-vous faire, maintenant?

Fermín haussa les épaules.

— Si je joue ma peau en revenant, c'est pour la promesse que j'ai faite à Martín. Je dois aller voir cet avocat et trouver ensuite Mme Isabella et cet enfant, Daniel, pour les protéger.

— Comment?

— Je l'ignore. Il me viendra bien une idée. Toute suggestion est bienvenue.

— Vous ne les connaissez même pas! Ce ne sont que des étrangers dont vous a parlé un homme rencontré en prison...

— Je sais. Résumé ainsi, ça paraît une folie, non?

Le prêtre le dévisageait comme s'il pouvait voir à travers ses mots.

— Serait-ce parce que vous avez croisé tant de misère et tant de bassesse chez les hommes que vous voulez faire quelque chose de bien, même au prix d'une folie?

— Et pourquoi pas?

Valera sourit.

— Je savais que Dieu croyait en vous.

7.

Le lendemain, Fermín partit sur la pointe des pieds afin de ne pas réveiller le père Valera, qui s'était endormi sur le canapé, un livre de poèmes de Machado dans la main, et ronflait comme un taureau de combat. Avant de le quitter, il posa un baiser sur son front et laissa sur la table de la salle à manger l'argent que le prêtre avait glissé dans la valise, enveloppé dans une serviette. Puis il descendit l'escalier, les vêtements et la conscience propres, déterminé à rester vivant au moins quelques journées de plus.

Ce jour-là, le soleil brilla, et une brise légère qui venait de la mer déroula un ciel brillant et acéré qui allongeait les ombres des passants. Fermín consacra la matinée à parcourir les rues dont il se souvenait, à s'arrêter devant les vitrines et à s'asseoir sur des bancs pour regarder passer des filles qui, pour lui, étaient toutes jolies. À midi, il se dirigea vers une gargote à l'entrée de la rue Escudellers, près du restaurant de si heureuse mémoire. La gargote avait la triste réputation, parmi les établissements les plus experts dans l'art de vous jeter les plats à la figure, de servir les casse-croûte les moins chers de tout Barcelone. Toute l'affaire, selon les habitués, consistait à ne pas poser de question sur les ingrédients.

Avec ses nouveaux habits de monsieur et une épaisse couche de numéros de *La Vanguardia* sous ses vêtements lui conférant un peu d'allure et de musculature, ainsi qu'une protection à moindre prix, Fermín s'assit au comptoir. Après avoir consulté la liste des délices à portée des bourses et des estomacs les plus modestes, il entra en négociation avec le garçon.

— Une question, jeune homme. Dans la spécialité du jour, le sandwich de pain de campagne à la mortadelle et à la tomate de Cornellá, est-ce que la tomate est fraîche ?

— Tout juste cueillie dans nos potagers d'El Prat, derrière l'usine d'acide sulfurique.

— Ça doit donner un sacré *bouquet*. Et dites-moi, mon brave homme, peut-on faire confiance à la maison ?

Le garçon perdit son peu d'amabilité et se réfugia derrière le comptoir, le torchon sur l'épaule et l'air farouche.

— Quoi ?

— Vous ne faites pas d'exception en faveur des mutilés de guerre décorés ?

— Dégagez, ou nous appelons la Sociale.

Vu le tour pris par cet échange, Fermín battit en retraite pour chercher un coin tranquille où il pourrait réviser sa stratégie. Il venait de s'installer sur la marche d'un porche quand la silhouette d'une fille, qui ne devait pas avoir dix-sept ans mais avait déjà des formes de danseuse de music-hall, passa près de lui avant d'être violemment précipitée au sol.

Fermín se leva pour l'aider, mais à peine l'avait-il prise par le bras qu'il entendit des pas derrière lui, accompagnés d'une voix auprès de laquelle celle du garçon qui venait de l'envoyer prendre l'air avait les accents d'une musique céleste.

— Salope de merde ! Ne me fais plus jamais ça, ou je te marque à la figure et je t'étends raide dans cette rue qui est encore plus dégueulasse que toi.

L'auteur de ce discours était un individu au teint olivâtre et aux goûts douteux en matière de bijoux fantaisie. Négligeant le fait que le susdit pesait le double de son poids et qu'il tenait à la main ce qui avait tout l'air d'être un objet tranchant, en tout cas très pointu, Fermín, qui

202

commençait à en avoir par-dessus la tête des grossiers personnages qui jouaient les durs, s'interposa entre lui et la fille.

— Et toi, qui t'es, connard ? Fous le camp avant que je te casse la gueule.

Fermín sentit la fille, qui lui parut dégager une étrange odeur de cannelle et de friture mêlées, s'agripper à son bras. Un simple coup d'œil à l'individu suffisait pour comprendre que la situation n'avait aucune chance d'être réglée par la voie dialectique. Il décida donc de passer à l'action. Après une analyse *in extremis* de son adversaire, il parvint à la conclusion que sa masse corporelle était essentiellement composée de graisse et que, question muscles ou matière grise, elle était plutôt déficiente.

— On ne me parle pas sur ce ton, et à la demoiselle encore moins.

L'affreux le dévisagea, interdit, comme s'il n'avait pas enregistré ses paroles. L'instant d'après, lui qui s'attendait à tout de la part de ce gringalet sauf à la guerre encaissa, stupéfait, un coup de valise dans les parties intimes qui l'expédia au sol, les mains cramponnées à son entrejambe, suivi de quatre ou cinq coups avec le coin en cuir de la valise sur des points stratégiques qui le laissèrent, au moins pour un moment, prostré et démoralisé.

Un groupe de passants qui avaient assisté à la scène applaudit, et quand Fermín se retourna pour voir si la demoiselle allait bien, il croisa son regard à tout jamais émerveillé et empoisonné de reconnaissance et de tendresse.

— Fermín Romero de Torres, pour vous servir, mademoiselle.

La fille se haussa sur la pointe des pieds pour l'embrasser sur la joue.

— Moi, je suis la Rocíito.

À leurs pieds, l'affreux essayait de se relever et de reprendre son souffle. Avant que l'équilibre des forces cesse de lui être favorable, Fermín choisit de mettre quelque distance entre lui et le théâtre de la confrontation.

— Il faudrait migrer sans trop tarder, annonça-t-il. Une fois perdu l'initiative, la bataille ne sera plus égale.

La Rocíito lui prit le bras et le guida dans un enchevêtrement de ruelles étroites qui débouchaient sur la Plaza Real. Une fois au soleil et en terrain dégagé, Fermín fit halte un instant pour reprendre haleine. La Rocíito constata qu'il pâlissait et n'avait pas bon aspect. Elle devina que les émotions de la rencontre, ou la faim, avaient produit une chute de tension chez son courageux champion et le conduisit à la terrasse de l'hôtel des Deux Mondes, où il s'écroula sur une chaise.

La Rocíito, qui pour n'avoir que dix-sept ans n'en possédait pas moins un coup d'œil clinique que le docteur Trueta lui aurait sûrement envié, passa commande d'un assortiment de tapas pour le revigorer. Lorsque Fermín vit arriver le festin, il s'alarma.

— Rocíito, je n'ai pas un centime...

— C'est moi qui paye, trancha-t-elle fièrement. Parce que moi, quand j'ai un homme, je m'en occupe et j'aime qu'il bouffe bien.

La Rocíito bourra Fermín de tapas, *choricillos* et pommes frites, le tout arrosé d'un monumental pot de bière. Il revint à la vie et récupéra son tonus à la grande satisfaction de sa compagne.

— Comme dessert, si vous voulez, je vous offre une spécialité de la maison que vous m'en direz des nouvelles, proposa la jeune personne en se léchant les lèvres.

— Mais, ma petite, tu ne devrais pas être au collège en ce moment, chez les bonnes sœurs ?

La Rocíito éclata de rire.

— Alors là, c'est la meilleure ! Tu plaisantes ou quoi ?

À mesure que se prolongeait le festin, Fermín comprenait que, s'il continuait à dépendre de la Rocíito, il s'engagerait dans une carrière de proxénète manifestement prometteuse. Or des affaires plus graves réclamaient son attention.

— Quel âge as-tu, Rocíito ?

— Dix-huit ans et demi, mon joli Fermín.

— Tu fais plus.

— C'est que j'ai de l'avance. Je sais que je devrais pas dire ça, mais je l'ai perdue à treize ans.

Fermín, qui n'avait pas vu une conspiration de formes comparable depuis les jours bénis et regrettés de La Havane, tenta de recouvrer son bon sens.

— Rocíito, commença-t-il, je ne peux pas m'occuper de toi...

— Je sais bien, me prenez pas pour une idiote. Je sais bien que vous êtes pas le genre d'homme à vivre d'une femme. J'ai beau être jeune, j'ai appris à les voir venir...

— Il faut que tu me dises où je peux t'envoyer l'argent de ce banquet, parce que tu me prends juste dans un moment économiquement délicat...

La Rocíito haussa les épaules.

— J'ai une chambre, ici, à l'hôtel, je la partage avec la Lali, mais elle est dehors pour toute la journée, vu qu'elle fait les bateaux de commerce... Pourquoi vous ne monteriez pas, que je vous fasse un bon massage ?

— Rocíito...

— C'est la maison qui invite...

Fermín la contempla avec un soupçon de mélancolie.

— Vous avez les yeux tristes, monsieur Fermín. Laissez la Rocíito vous dérider un peu, même un petit moment. Où est le mal ?

Fermín baissa les yeux, honteux.

— Ça fait combien de temps que vous avez pas été avec une femme, comme c'est naturel pour un homme ?

— Je ne me souviens plus.

La Rocíito lui prit la main et, le tirant, le poussant, lui fit monter l'escalier pour gagner une pièce minuscule tout juste meublée d'un lit et d'une table de toilette. La chambre avait un petit balcon qui donnait sur la place.

La fille ferma un rideau et, en un clin d'œil, se défit de sa robe à fleurs sous laquelle elle apparut toute nue. Fermín contempla ce miracle de la nature et laissa la Rocíito le prendre dans ses bras et le serrer contre un cœur qui était presque aussi vieux que le sien.

— Si vous avez pas envie, pas besoin de rien faire, hein ?

La Rocíito l'allongea sur le lit et s'étendit à côté de lui. Elle l'embrassa et lui caressa la tête.

— Chut ! Chut ! murmurait-elle.

Fermín, le visage contre cette poitrine de dix-huit ans, éclata en sanglots.

Quand vint le soir et que la Rocíito dut se lever pour aller prendre son poste, Fermín récupéra le bout de papier portant l'adresse de maître Brians qu'Armando lui avait donné un an plus tôt et décida de lui rendre visite. La Rocíito insista pour lui prêter un peu de monnaie afin de prendre le tramway et de se payer un café, et elle lui fit jurer solennellement de revenir la voir, ne serait-ce que pour l'emmener au cinéma ou à la messe, car elle était très pieuse, avec une dévotion particulière pour la vierge du carmel, et aimait beaucoup les célébrations, surtout quand elles étaient chantées. Elle l'accompagna en bas et, en lui disant au revoir, elle lui donna un baiser sur les lèvres et lui pinça les fesses.

— Mon trésor en sucre, lui murmura-t-elle tandis qu'il s'engageait sous les arcades de la place.

Quand il traversa la Plaza de Cataluña, un nœud de lourds nuages se formait dans le ciel. Les bandes de pigeons qui survolaient habituellement la place s'étaient mises à l'abri des arbres et attendaient, inquiètes. Les passants, sentant l'électricité dans l'air, pressaient le pas vers les bouches de métro. Un vent mauvais s'était levé, qui traînait une marée de feuilles mortes par terre. Fermín se hâta et, au moment où il arrivait rue Caspe, la pluie commença à tomber.

8.

Maître Brians était jeune, il avait un certain air d'étudiant bohème et donnait l'impression de se nourrir essentiellement de biscuits salés et de café, dont l'odeur planait dans son bureau. Accompagnée par celle de papiers poussiéreux. Son cabinet se réduisait à une pièce suspendue au dernier étage de l'immeuble qui hébergeait le grand théâtre Tivoli, au bout d'un couloir sans lumière. Quand Fermín arriva, Brians s'y trouvait encore à huit heures et demie du soir. Il lui ouvrit en manches de chemise et, en le voyant, se borna à hocher la tête et à soupirer.

— Fermín, je présume. Martín m'avait parlé de vous. Je commençais à me demander quand vous finiriez par venir.

— J'ai dû passer pas mal de temps loin d'ici.

— Évidemment. Entrez, je vous en prie.

Fermín le suivit à l'intérieur du réduit.

— Sale fin de journée, n'est-ce pas ? commença l'avocat, nerveux.

— Ce n'est que de l'eau.

Fermín regarda autour de lui et ne vit qu'une seule chaise. Brians la lui céda. Lui-même s'installa sur une pile de tomes de droit commercial.

— J'attends encore le mobilier.

Fermín estima qu'il n'y avait même pas une agrafeuse, mais préféra tenir sa langue. Sur la table étaient posées une assiette avec un sandwich à la viande et une bière.

Une serviette en papier dénonçait que le somptueux dîner de l'avocat provenait du café d'en bas.

— Je m'apprêtais à dîner. Je partagerai volontiers avec vous.

— Mangez, mangez, vous, les jeunes, vous avez besoin de grandir, et moi je sors de table.

— Je ne peux rien vous offrir ? Un café ?

— Si vous aviez un Sugus...

Brians farfouilla dans un tiroir où l'on aurait pu trouver n'importe quoi sauf des caramels Sugus.

— Des pastilles Juanola ?

— Non, je suis bien ainsi, merci.

— Si vous me permettez...

Brians donna un coup de dents au sandwich et mastiqua avec délectation. Fermín se demanda lequel des deux mourait le plus de faim. À côté du bureau, une porte entrouverte permettait d'apercevoir un lit escamotable défait, un cintre avec des chemises froissées et une pile de livres.

— Vous habitez ici ? s'enquit-il.

À l'évidence, l'avocat engagé par Isabella pour défendre Martín ne volait pas dans les hautes sphères. Brians suivit le regard de Fermín et lui adressa un sourire modeste.

— Ce lieu me sert provisoirement de bureau et de logis, répondit-il en se penchant pour fermer la porte de sa chambre à coucher. Vous devez penser que je n'ai guère l'allure d'un avocat. Sachez que vous n'êtes pas le seul : mon père partage votre avis.

— N'en tenez pas compte. Mon père nous répétait sans cesse, à mes frères et à moi, que nous étions des inutiles et que nous finirions balayeurs des rues. Et pourtant, tel que vous me voyez, le roi n'est pas mon cousin. On n'a aucun mérite à réussir dans la vie quand votre famille croit en vous et vous soutient.

Brians approuva sans enthousiasme.

— Vu ainsi... La vérité est que je viens juste de m'installer à mon compte. Avant, je travaillais dans un cabinet réputé, non loin d'ici, sur le Paseo de Gracia. Mais nous avons eu une série de désaccords. Et après, les choses n'ont pas été faciles.

— Mon Dieu ! Valls ?

Brians acquiesça, expédiant la bière en trois gorgées.

— Depuis que j'ai accepté le dossier de M. Martín, il ne m'a pas lâché jusqu'à ce que je perde mes derniers clients et me fasse renvoyer. Les rares qui me restent n'ont pas un centime pour payer mes honoraires.

— Et Mme Isabella ?

L'avocat s'assombrit. Il posa le verre sur le bureau et regarda Fermín, hésitant.

— Vous n'êtes pas au courant ?

— Au courant de quoi ?

— Isabella Sempere est morte.

9.

L'orage se déchaînait sur la ville. Fermín tenait à la main une tasse de café pendant que Brians, debout devant la fenêtre ouverte, contemplait la pluie qui fouettait les toits de l'Ensanche en relatant les derniers jours d'Isabella.

— Elle est tombée malade d'un coup, sans explication. Si vous l'aviez connue... Isabella était jeune, pleine de vie. Elle jouissait d'une santé de fer et avait survécu aux misères de la guerre. Tout est arrivé du jour au lendemain. La nuit où vous avez réussi à vous évader du fort, Isabella est rentrée tard. Quand son mari l'a trouvée, elle était agenouillée dans les toilettes, elle transpirait et avait des palpitations. Elle a dit qu'elle se sentait mal. On a appelé le médecin, mais avant même son arrivée les convulsions ont commencé et elle a vomi du sang. Le médecin a diagnostiqué une intoxication et a préconisé la diète pendant plusieurs jours, pourtant le lendemain c'était pire. M. Sempere l'a enveloppée dans des couvertures et un voisin chauffeur de taxi les a conduits à l'hôpital de la Mer. Des taches noires étaient apparues sur sa peau, comme des plaies, et ses cheveux tombaient par poignées. À l'hôpital, ils ont attendu plusieurs heures. Finalement, les médecins ont refusé de la voir, parce que quelqu'un dans la salle, un patient qu'ils n'avaient pas encore appelé, a prétendu connaître Sempere et l'a accusé d'avoir été communiste ou je ne sais plus quelle stupidité de ce genre. Je suppose que c'était pour se faire bien voir. Une infirmière a donné un sirop à Isabella, soi-disant pour lui laver l'estomac, mais Isabella ne pouvait rien avaler. Sempere ne savait que faire. Il l'a ramenée à la maison et a appelé médecin sur médecin. Personne ne savait ce qu'elle avait. Un infirmier, client habituel de la librairie, connaissait quelqu'un dans le service de l'Hôpital central. Sempere l'y a conduite.

» À l'Hôpital central, on lui dit que ce pouvait être le choléra et qu'il devait la reprendre à la maison, parce qu'il y avait un début d'épidémie et qu'ils étaient débordés. Plusieurs personnes étaient déjà mortes dans le quartier. L'état d'Isabella empirait de jour en jour. Elle délirait. Son mari ne vivait plus, il a remué ciel et terre, mais au bout de quelques jours elle était si faible qu'il n'a même pas pu la conduire à l'hôpital. Elle est morte en à peine une semaine, dans l'appartement de la rue Santa Ana, au-dessus de la librairie...

Un long silence se glissa entre eux, sans autre accompagnement que le crépitement de la pluie et l'écho des coups de tonnerre qui s'éloignaient à mesure que le vent faiblissait.

— Un mois plus tard on m'a appris qu'elle avait été vue un soir au café de l'Opéra, en face du Liceo. Elle était attablée avec Mauricio Valls. Isabella, n'écoutant pas mes conseils, l'avait menacé de dévoiler son projet d'utiliser Martín pour réécrire je ne sais quelles cochonneries grâce auxquelles il comptait devenir célèbre et recevoir une pluie de médailles. Je suis allé là-bas pour me renseigner. Le garçon se rappelait que Valls était arrivé le premier en voiture et avait commandé deux camomilles et du miel.

Fermín soupesa les paroles du jeune avocat.

— Vous croyez que Valls l'a empoisonnée ?

— Je ne peux pas le prouver, néanmoins plus j'y pense, plus ça me paraît clair. C'est sûrement Valls.

Fermín laissa errer son regard sur le sol.

— M. Martín le sait ?

Brians hocha négativement la tête.

— Non. Après votre évasion, Valls a donné l'ordre d'enfermer Martín dans la cellule d'isolement d'une des tours.

— Et le docteur Sanahuja ?

— Sanahuja a été envoyé devant un conseil de guerre pour trahison. Il a été fusillé quinze jours plus tard.

Un long silence inonda la pièce. Fermín, agité, se leva et se mit à tourner en rond.

— Et moi, pourquoi personne ne m'a cherché ? En fin de compte, je suis la cause de tout...

— Vous n'existez pas. Pour éviter l'humiliation devant ses supérieurs et la ruine d'une carrière prometteuse, Valls a fait jurer à la patrouille envoyée à votre recherche de dire que vous aviez été abattu au moment où vous tentiez de fuir sur le versant de Montjuïc et que votre corps avait été jeté dans la fosse commune.

Fermín sentit la rage lui monter aux lèvres.

— Eh bien, dans ce cas, je vais me présenter *illico* au gouvernement militaire et dire : « Regardez ma tronche, je suis bien vivant. » On verra comment Valls expliquera ma résurrection.

— Ne faites pas de bêtise, ça ne réglerait rien. Tout ce que vous obtiendriez serait qu'ils vous emmènent sur la route de Las Aguas et vous logent une balle dans la nuque. Cette crapule ne vaut pas un tel cadeau.

Fermín le reconnut, cependant la honte et la culpabilité le rongeaient.

— Et Martín ? Qu'est-ce qu'il va devenir ?

Brians haussa les épaules.

— Ce que j'en sais est confidentiel et ne doit pas sortir de ces quatre murs. Il y a, au fort, un gardien, un certain Bebo, à qui j'ai rendu quelques services. Un de ses frères allait être exécuté, mais j'ai obtenu que sa peine soit commuée en dix ans de réclusion dans une prison de Valence. Bebo est un brave homme, et il me rapporte tout ce qu'il voit et entend dans le fort. Valls ne me laisse pas rencontrer Martín, mais à travers Bebo j'ai pu savoir qu'il est vivant et que Valls le tient enfermé dans la tour, surveillé vingt-quatre heures sur vingt-quatre. On lui a donné du papier et une plume. Bebo dit que Martín écrit.

— Et quoi donc?

— Allez savoir. Valls croit, c'est en tout cas ce que m'a rapporté Bebo, qu'il écrit le livre qu'il lui a commandé à partir de ses notes. Mais apparemment Martín, dont nous savons vous et moi qu'il n'a pas toute sa tête, rédige autre chose. Il répète parfois à voix haute ce qu'il écrit, ou se lève et tourne dans sa cellule en prononçant des lambeaux de dialogues et des phrases entières. Bebo est de garde la nuit près de sa cellule et, quand il le peut, lui passe des cigarettes et des morceaux de sucre, la seule chose qu'il mange. Martín vous a-t-il déjà parlé du *Jeu de l'Ange*?

Fermín fit non.

— Est-ce le titre du livre qu'il écrit?

— Oui, d'après Bebo. À ce qu'il a cru comprendre de ce que lui raconte Martín et de ce qu'il l'entend lire à voix haute, ça ressemble à une sorte d'autobiographie ou de confession... Si vous voulez mon avis, Martín s'est rendu compte qu'il était en train de perdre la raison et il essaye de coucher ce dont il se souvient sur le papier avant qu'il ne soit trop tard. C'est comme s'il s'écrivait une lettre à lui-même pour savoir qui il est...

— Et que se passera-t-il quand Valls découvrira qu'il n'a pas obéi à ses ordres?

Maître Brians lui renvoya un regard funèbre.

10.

Quand la pluie cessa, minuit approchait. Vue du dernier étage de l'antre de maître Brians, Barcelone offrait un paysage inhospitalier sous un ciel de nuages bas qui se traînaient au-dessus des toits.

— Vous avez où aller, Fermín ? demanda Brians.

— J'ai une proposition tentante de m'installer en qualité de concubin et de garde du corps d'une jeune personne qui a la tête légère, le cœur généreux et une carrosserie à vous couper le souffle, mais je ne me vois pas vivre aux crochets d'une femme, même s'il s'agit de la vénus de Jerez.

— Je n'aime pas du tout l'idée que vous restiez à la rue, Fermín. C'est dangereux. Vous pouvez demeurer ici le temps que vous voulez.

Fermín jeta un coup d'œil circulaire.

— Évidemment, ce n'est pas l'hôtel Colón, mais j'ai là-derrière un lit pliable, je ne ronfle pas et, pour tout vous avouer, ça me plairait d'avoir de la compagnie.

— Vous n'avez pas une amie ?

— Ma fiancée était la fille de l'associé et fondateur du cabinet dont Valls et compagnie ont obtenu que je sois congédié.

— Cette histoire de Martín, vous la payez cher. Comme si vous aviez fait vœu de chasteté et de pauvreté.

Brians sourit.

— Donnez-moi une cause perdue, et je suis heureux.

— Eh bien, dans ce cas, je vous prends au mot. Mais seulement si vous me permettez de vous aider en vous apportant ma modeste contribution. Je peux faire le ménage, ranger, taper à la machine, cuisiner, vous offrir mon assistance et mes services de recherche et de surveillance. Et si, dans un moment de faiblesse, vous avez le moral à zéro et vous vous sentez trop tendu, je suis sûr de pouvoir, grâce à mon amie la Rocíito, vous ménager les services d'une professionnelle qui fera de vous un autre homme, car quand on est jeune on doit veiller à ce qu'une trop forte accumulation séminale ne vous monte pas au cerveau, sinon ça devient encore pire.

Brians lui tendit la main.

— Marché conclu. Vous êtes engagé comme clerc surnuméraire par le cabinet de Brians & Brians, le défenseur des insolvables.

— Aussi vrai que je m'appelle Fermín, la semaine ne s'achèvera pas sans que je vous aie dégoté un client de l'espèce qui paye en liquide et d'avance.

C'est ainsi que Fermín Romero de Torres s'installa temporairement dans le minuscule cabinet de maître Brians, où il commença à ranger, nettoyer et mettre à jour tous les dossiers, chemises et affaires en cours. Rapidement, grâce à ses soins, le cabinet parut avoir triplé de surface et brillait tel un sou neuf. Il y passait la plus grande partie de son temps, à l'exception de deux heures consacrées à des expéditions variées dont il revenait avec quelques fleurs soustraites au hall du théâtre Tivoli, un peu de café, qu'il se procurait en faisant la cour à une serveuse du bistrot d'en bas, et des petits plats de la Casa Quílez, qui les notait sur le compte ouvert au nom de Brians, dont Fermín se présentait comme le nouveau garçon de courses.

— Fermín, ce jambon est délicieux, d'où le sortez-vous ?

— Goûtez le fromage manchego, vous m'en direz des nouvelles.

216

Le matin, il relisait tous les cas confiés à Brians et mettait ses notes au propre. L'après-midi, il décrochait le téléphone et se lançait à la recherche de clients présumés solvables. Quand il flairait une possibilité, il parachevait l'appel par une visite à domicile. Sur un total de cinquante appels à des commerces, des professionnels et des particuliers du quartier, dix se convertirent en visites et trois en nouveaux clients.

Le premier était une veuve qu'une compagnie d'assurances refusait d'indemniser pour le décès de son mari, arguant que l'arrêt cardiaque était survenu à la suite d'une ingestion nettement excessive de langoustines aux Siete Puertas et qu'il s'agissait d'un cas de suicide non prévu dans le contrat. Le deuxième était un taxidermiste à qui un torero retraité avait confié pour l'empailler la bête redoutable qui avait mis fin à sa carrière dans les arènes. Le torero refusait de régler le taxidermiste en prétextant que les yeux de verre posés par l'homme de l'art conféraient au taureau un air démoniaque — air démoniaque qui l'avait fait sortir à toute vitesse de la boutique en criant : «Au secours! Au secours!» Le troisième était un tailleur du boulevard San Pedro à qui un dentiste sans diplôme avait arraché cinq molaires parfaitement saines. C'étaient des cas de peu d'envergure, néanmoins tous les trois avaient réglé une avance et signé un contrat.

— Fermín, je vais vous verser un salaire.
— Pas question.

Fermín refusa toute rémunération pour ses bons offices, à part quelques prêts occasionnels grâce auxquels, le dimanche après-midi, il menait la Rocíito au cinéma, danser à La Paloma et au parc de Tibidabo où, dans la baraque aux miroirs, elle lui laissa un suçon sur le cou qui le brûla toute la semaine et où, profitant d'un moment où ils étaient les deux seuls passagers d'un petit avion qui survolait en cercles le ciel en miniature de Barcelone, il recouvra le plein exercice et la pleine jouissance de sa virilité après une longue absence des scènes de l'amour furtif.

Un jour qu'il caressait les formes charmantes de la Rocíito en haut de la grande roue du parc, Fermín se fit la réflexion que, contre tout pronostic, il vivait des temps heureux. Il fut pris de peur, car il savait que cela ne pouvait durer et que ces gouttes de paix et de bonheur volées s'évaporeraient bien avant la jeunesse de la peau et des yeux de la Rocíito.

11.

Ce même soir, il s'assit dans le bureau pour attendre le retour de Brians de ses visites aux tribunaux, aux administrations, aux procureurs, aux prisonniers, avec les mille et une flagorneries auxquelles il devait se plier pour obtenir des informations. Il était presque vingt-trois heures quand il entendit les pas du jeune avocat dans le couloir. Il lui ouvrit la porte et Brians entra, traînant les pieds, plus abattu que jamais et l'âme en berne. Il se laissa choir dans un coin et porta les mains à sa tête.

— Q'est-ce qui vous arrive, Brians ?

— Je viens du fort.

— Bonnes nouvelles ?

— Valls a refusé de me recevoir. Ils m'ont fait attendre quatre heures, puis ils m'ont ordonné de m'en aller. Ils m'ont retiré mon permis de visite et l'autorisation de pénétrer dans l'enceinte.

— Ils vous ont laissé voir Martín ?

Brians fit non d'un geste.

— Il n'était pas là.

Fermín le regarda sans comprendre. Brians resta quelques instants silencieux, cherchant ses mots.

— Au moment où je partais, Bebo m'a suivi et m'a rapporté ce qu'il savait. C'est arrivé il y a quinze jours. Martín avait passé son temps à écrire comme un possédé, jour et nuit, s'arrêtant à peine pour dormir. Valls flairait quelque chose d'anormal et il a ordonné à Bebo de confisquer toutes les pages que Martín avait rédigées jusque-là. Trois sentinelles ont été nécessaires pour l'immobiliser et lui arracher le manuscrit. Il avait couvert plus de cinq cents pages en moins de deux mois. Bebo les a remises à Valls, et quand celui-ci a commencé à les lire, il est entré dans une colère terrible.

— J'imagine que ce n'était pas ce qu'il attendait...

Brians confirma.

— Valls est resté à les lire toute la nuit. Le lendemain, il est monté dans la tour escorté de quatre de ses hommes. Il a fait ligoter les pieds et les mains de Martín, puis il s'est introduit dans la cellule. Bebo, qui écoutait par la rainure de la porte, a entendu une partie de la conversation. Valls était furieux. Il a crié à Martín qu'il était très déçu, qu'il lui avait confié les prémices d'un chef-d'œuvre et que lui, l'ingrat, au lieu de suivre ses instructions, avait écrit cette absurdité sans queue ni tête. «Ce n'était pas le livre que j'attendais de vous, Martín», ne cessait de répéter Valls.

— Et que répondait Martín ?

— Rien. Il l'ignorait. Comme s'il n'était pas là. Ce qui ne faisait qu'augmenter la fureur de Valls. Bebo l'a entendu gifler et frapper Martín, mais celui-ci n'a pas laissé échapper une plainte. Quand Valls s'est fatigué de le frapper et de l'insulter sans obtenir de lui ne fût-ce qu'une parole, il a sorti une lettre de sa poche. Selon Bebo, il s'agissait d'une lettre que M. Sempere avait envoyée à Martín des mois plus tôt et qu'il avait confisquée. Dans cette lettre, il y avait quelques mots qu'Isabella avait écrits à Martín sur son lit de mort...

— Le fils de chienne !

— Valls a laissé là Martín, enfermé avec cette lettre, car il savait que rien ne pouvait lui faire plus mal que d'apprendre la mort d'Isabella... D'après Bebo, après le départ de Valls Martín s'est mis à hurler et à cogner des poings et de la tête les murs et la porte en fer...

Brians leva les yeux. Fermín s'agenouilla devant lui en lui posant la main sur l'épaule.

— Est-ce que ça va, Brians ?

— Je suis son avocat, murmura ce dernier d'une voix tremblante. Mon devoir est de le protéger et de le sortir de là...

— Vous avez fait tout ce que vous avez pu, Brians. Et Martín le sait.

Brians hocha tristement la tête.

— Les choses ne s'arrêtent pas là. Bebo m'a raconté que, comme Valls l'avait privé de papier et d'encre, Martín s'est mis à écrire au dos des pages qu'il lui avait jetées à la figure. À défaut d'encre, il se faisait des entailles aux mains et aux bras et utilisait son sang... Bebo essayait de lui parler, de le calmer... Martín n'acceptait plus les cigarettes et les sucres qui lui faisaient tellement plaisir... Il ne le reconnaissait même plus. Bebo croit qu'à l'annonce de la mort d'Isabella Martín avait perdu totalement la raison et qu'il vivait dans l'enfer qu'il avait lui-même construit dans sa tête... La nuit, il criait. Tout le monde pouvait l'entendre. Des rumeurs ont commencé à circuler parmi les visiteurs, les prisonniers et le personnel de la prison. Valls devenait de plus en plus nerveux. Finalement, une nuit, il a donné l'ordre à ses hommes de main de l'emmener...

Fermín avala sa salive.

— Où cela ?

— Bebo n'est pas sûr. Il croit que c'est dans une vieille demeure abandonnée près du parc Güell... un lieu où, paraît-il, on a tué pendant la guerre un certain nombre de gens que l'on a ensuite enterrés dans le jardin... Quand les hommes de main sont revenus, ils ont informé Valls que tout était réglé, mais Bebo m'a dit que, la même nuit, il les a entendus parler entre eux et qu'ils avaient l'air effrayés. Quelque chose s'était passé dans la maison. Il semble qu'il y avait quelqu'un d'autre à l'intérieur.

— Quelqu'un ?

Brians haussa les épaules.

— Alors David Martín est vivant ?

— Je l'ignore, Fermín. Personne ne sait.

12.

Barcelone, 1957

Fermín parlait dans un filet de voix, les yeux baissés. Exorciser ces souvenirs paraissait l'avoir laissé sans force, et c'était à grand-peine qu'il se maintenait sur sa chaise. Je lui versai ce qui restait de vin et le regardai essuyer ses larmes avec ses doigts. Je lui tendis une serviette, mais il l'ignora. Tous les clients du Can Lluis étaient rentrés chez eux depuis longtemps et j'estimai qu'il devait être minuit passé, pourtant on nous avait laissés tranquilles dans la salle à manger. Fermín avait l'air épuisé, comme si dévoiler ces secrets lui avait ôté jusqu'à la volonté de vivre.

— Fermín...

— Je sais ce que vous allez me demander. La réponse est non.

— Fermín, est-ce que David Martín est mon père ?

Fermín me dévisagea avec sévérité.

— Votre père est M. Sempere, Daniel. De cela, ne doutez jamais. Jamais.

J'acquiesçai. Fermín resta rivé à sa chaise, absent, les yeux perdus dans le vide.

— Et vous, Fermín ? Qu'avez-vous fait ensuite ?

Fermín tarda à répondre, comme si cette partie de l'histoire n'avait aucune importance.

223

— Je suis retourné à la rue. Je ne pouvais pas rester là, avec Brians. Je ne pouvais pas non plus rester avec la Rocíito. Ni avec personne...

Fermín laissa son récit en suspens, et je le complétai à sa place.

— Vous êtes retourné à la rue, un mendiant sans nom, sans personne ni rien en ce monde, un homme que tous prenaient pour un fou et qui aurait voulu mourir s'il n'avait pas fait une promesse...

— J'avais promis à Martín de veiller sur Isabella et sur son fils... sur vous. Mais j'ai été lâche, Daniel. Je suis resté si longtemps caché, j'ai eu si peur de revenir que, lorsque je l'ai fait, votre mère n'était plus là...

— C'est pour ça que je vous ai rencontré cette nuit-là sur la Plaza Real? Ce n'était pas un hasard? Depuis combien de temps me suiviez-vous?

— Des mois. Des années...

Je l'imaginai en train de me suivre quand j'étais enfant et que j'allais au collège, quand je jouais dans le parc de la Ciudadela, quand je m'arrêtais avec mon père devant cette vitrine pour contempler le stylo dont je croyais dur comme fer qu'il avait appartenu à Victor Hugo, quand je m'asseyais sur la Plaza Real pour faire la lecture à Clara en la caressant des yeux et en croyant que personne ne me voyait. Un mendiant, une ombre, une forme confuse que nul ne remarquait et que les regards évitaient. Fermín, mon protecteur et mon ami.

— Pourquoi ne m'avez-vous pas raconté la vérité, des années plus tard?

— Au début j'en avais l'intention, ensuite je me suis rendu compte que je vous ferais plus de mal que de bien. Que rien ne pouvait changer le passé. J'ai décidé de vous cacher la vérité car je pensais qu'il valait mieux que vous ressembliez à votre père, et pas à moi.

Nous demeurâmes plongés dans un long silence au cours duquel nous échangeâmes des coups d'œil à la dérobée.

— Où est Valls? demandai-je enfin.

— Ah, non, pas ça! trancha-t-il.

— Où est-il aujourd'hui? insistai-je. Si vous ne me le dites pas, je trouverai moi-même.

— Et qu'est-ce que vous ferez? Vous vous présenterez chez lui pour le tuer?

— Pourquoi pas?

Fermín eut un rire amer.

— Parce que vous avez une femme et un enfant, parce que vous avez une vie et des personnes qui vous aiment et que vous aimez, parce que vous avez tout, Daniel.

— Tout, sauf ma mère.

— La vengeance ne vous rendra pas votre mère, Daniel.

— C'est très facile à dire. Personne n'a assassiné la vôtre...

Fermín allait ajouter quelque chose, mais il se mordit la langue.

— Pourquoi croyez-vous que votre père ne vous a jamais parlé de la guerre, Daniel? Vous pensez peut-être qu'il ne s'est pas imaginé ce qui s'est passé?

— S'il en est ainsi, pourquoi s'est-il tu? Pourquoi n'a-t-il rien fait?

— Pour vous, Daniel. Pour vous. Votre père est comme beaucoup de gens qui ont eu à vivre cette époque et qui ont tout avalé en se taisant. Parce que le courage leur a manqué. De tous les bords et de toutes les couleurs. Vous les croisez dans la rue chaque jour et vous ne les voyez pas. Ils sont restés à pourrir sur pied durant toutes ces années, avec cette douleur en eux, pour que vous et d'autres comme vous puissiez vivre. Ne vous mêlez pas de juger votre père. Vous n'en avez pas le droit.

Je reçus un choc, comme si mon meilleur ami m'avait donné un coup de poing sur la bouche.

— Ne vous fâchez pas contre moi, Fermín...

— Je ne me fâche pas.

— Je cherche seulement à mieux comprendre. Laissez-moi vous poser une question. Une seule.

— Sur Valls ? Non.

— Juste une question, Fermín. Je vous jure. Libre à vous ensuite de ne pas répondre.

Fermín accepta à contrecœur.

— Est-ce que ce Mauricio Valls est le même que celui auquel je pense ?

Fermín confirma.

— Le même. Celui qui a été ministre de la Culture jusqu'il y a quatre ou cinq ans. Celui qu'on voyait dans la presse presque quotidiennement. Le grand Mauricio Valls. Auteur, éditeur, penseur et messie révélé du monde intellectuel national. Oui, ce Valls-là, confirma Fermín.

J'avais vu dans la presse le portrait de cet individu des douzaines de fois, j'avais entendu son nom et l'avais vu imprimé au dos de certains des livres que nous avions à la librairie. Jusqu'à cet instant, le nom de Mauricio Valls n'était qu'un nom parmi d'autres dans ce défilé de personnages publics qui font partie d'un paysage auquel on ne prête pas particulièrement attention mais qui est toujours présent. Jusqu'à cette nuit, si quelqu'un m'avait demandé qui était Mauricio Valls, j'aurais répondu que c'était un individu qui m'était vaguement familier, une personnalité de ces tristes années sur laquelle je ne m'étais jamais arrêté. Jusqu'à cette nuit, il ne me serait jamais passé par la tête d'imaginer qu'un jour ce nom, ce visage seraient désormais pour toujours ceux de l'homme qui avait assassiné ma mère.

— Mais..., protestai-je.

— Mais, rien. Vous avez dit une seule question et je vous ai répondu.

— Fermín, vous ne pouvez pas me laisser ainsi...

— Écoutez-moi bien, Daniel.

Fermín me regarda dans les yeux et m'agrippa le poignet.

— Je vous jure que, quand viendra le moment, je vous aiderai moi-même à trouver ce fils de pute, même si ça doit être la dernière chose que j'accomplirai dans ma vie.

Alors nous réglerons nos comptes avec lui. Mais pas maintenant. Pas ainsi.

Je le fixai, hésitant.

— Promettez-moi de ne pas faire de bêtises, Daniel. D'attendre que ce soit le moment.

Je baissai la tête.

— Vous ne pouvez pas exiger ça de moi, Fermín.

— Je le peux et je le dois.

Je finis par céder, et Fermín me lâcha le bras.

13.

Quand j'arrivai à la maison, il était presque deux heures du matin. J'allais passer le porche, quand j'aperçus de la lumière dans la librairie, une faible lueur derrière le rideau de l'arrière-boutique. J'entrai par la porte du vestibule de l'immeuble et trouvai mon père assis à son bureau en train de fumer une cigarette, chose que je ne l'avais jamais vu faire de toute ma vie. Devant lui, sur la table, il y avait une enveloppe ouverte et les feuilles d'une lettre. J'approchai une chaise et m'assis en face de lui. Mon père me regarda en silence, impénétrable.

— Bonnes nouvelles? demandai-je en désignant la lettre.

Mon père me la tendit.

— C'est une lettre de ta tante Laura, celle de Naples.

— J'ai une tante à Naples?

— Oui, la sœur de ta mère, celle qui est allée vivre en Italie avec ta famille maternelle l'année de ta naissance.

J'acquiesçai, absent. Je ne me souvenais pas d'elle, je savais tout juste que son nom figurait parmi ceux qui avaient assisté à l'enterrement de ma mère et que je n'avais jamais revus.

— Sa fille vient faire ses études à Barcelone, et ta tante demande si elle peut s'installer un temps ici. Elle s'appelle Sofia.

— C'est la première fois que j'entends parler d'elle.

— Moi aussi.

La perspective de mon père partageant son appartement avec une adolescente inconnue ne paraissait guère crédible.

— Qu'est-ce que tu vas lui répondre ?

Mon père haussa les épaules, indifférent.

— Je ne sais pas. Il va bien falloir que je lui dise quelque chose.

Nous gardâmes le silence presque une minute, en nous dévisageant sans oser parler du sujet qui occupait réellement nos pensées et n'avait rien à voir avec la visite d'une lointaine cousine.

— Je suppose que tu étais avec Fermín, déclara enfin mon père.

Je confirmai.

— Nous sommes allés dîner au Can Lluis. Fermín a dévoré jusqu'aux serviettes. En entrant, j'ai rencontré le professeur Alburquerque, qui dînait là, et je lui ai dit qu'il devrait passer à la librairie.

Le son de ma propre voix débitant des banalités avait un écho accusateur. Mon père m'observait, tendu.

— Fermín t'a expliqué ce qu'il a ?

— Je crois que ce sont les nerfs, à cause du mariage et de toutes ces choses qui le contrarient.

— Et c'est tout ?

Un bon menteur sait que le mensonge le plus efficace est toujours une vérité dont on a soustrait une pièce clef.

— Eh bien, il m'a raconté des histoires du passé, quand il était en prison et tout ça.

— Alors je suppose qu'il t'aura parlé de l'avocat, maître Brians. Qu'est-ce qu'il t'a dit ?

Je n'étais pas sûr de ce que savait ou soupçonnait mon père, et je décidai d'y aller sur la pointe des pieds.

— Il m'a raconté qu'il avait été détenu au fort de Montjuïc et qu'il avait réussi à s'évader avec l'aide d'un homme du nom de David Martín, quelqu'un que tu connaissais, apparemment.

Mon père observa un long silence.

— Devant moi, personne n'a jamais osé le répéter, mais je sais que certains croyaient alors, et croient encore, que ta mère était amoureuse de Martín, commença-t-il avec un sourire si triste que je compris qu'il se comptait parmi eux.

Mon père avait cette habitude qu'ont certaines personnes de se forcer à sourire quand elles veulent retenir leurs larmes.

— Ta mère était une excellente femme. Une bonne épouse. Je ne voudrais pas que tu te fasses des idées fausses à partir de ce que t'a raconté Fermín. Il ne l'a pas connue. Moi, si.

— Fermín n'a rien insinué, mentis-je. Il a seulement dit que maman et Martín étaient liés d'amitié et qu'elle avait essayé de l'aider à sortir de prison en engageant cet avocat, Brians.

— J'imagine qu'il t'aura aussi parlé de cet homme, Valls...

Je me bornai à confirmer. Mon père lut la consternation sur mes traits et hocha négativement la tête.

— Ta mère est morte du choléra, Daniel. Brians, je ne comprendrai jamais pourquoi, s'est acharné à accuser cet homme, un bureaucrate qui avait des délires de grandeur, d'un crime dont il n'avait ni indice ni preuve.

Je restai muet.

— Tu dois t'ôter cette idée de la tête. Je veux que tu me promettes de ne pas y penser.

Je demeurai silencieux, ne sachant si mon père était réellement aussi naïf qu'il le paraissait ou si la douleur de la perte de sa femme l'avait rendu aveugle au point de se conformer à la lâcheté des survivants. Je me souvins des paroles de Fermín et songeai que ni moi ni personne n'avions le droit de le juger.

— Promets-moi de ne commettre aucune folie et de ne pas chercher cet homme, insista-t-il.

J'acquiesçai sans conviction. Il m'attrapa le bras.

— Jure-le-moi. Sur la mémoire de ta mère.

La douleur me crispa le visage et je me rendis compte

que je serrais les dents si fort qu'elles auraient presque pu se briser. Je détournai la tête, mais mon père ne me lâcha pas. Je le fixai dans les yeux et, jusqu'au dernier moment, je pensai que je pourrais lui mentir.

— Je te jure sur la mémoire de maman que, tant que tu seras en vie, je ne ferai rien.

— Ce n'est pas ce que je t'ai demandé.

— C'est tout ce que je peux t'offrir.

Mon père respira profondément.

— La nuit où ta mère est morte, là-haut, dans l'appartement...

— Je m'en souviens parfaitement.

— Tu avais cinq ans.

— Quatre ans et demi.

— Cette nuit-là, Isabella m'a demandé de ne jamais te raconter ce qui s'était passé. Elle croyait que c'était mieux ainsi.

C'était la première fois que je l'entendais parler de ma mère en l'appelant par son prénom.

— Je sais, papa.

— Pardonne-moi, murmura-t-il.

Je soutins le regard de mon père qui, par moments, semblait vieillir un peu plus rien qu'en me voyant et en se souvenant. Je me levai et l'embrassai en silence. Il me serra contre lui avec force et, quand il éclata en sanglots, la rage et la douleur qu'il avait enfouies toutes ces années dans son âme se mirent à couler comme du sang à gros bouillons. Je sus alors, sans pouvoir l'expliquer avec certitude, que, lentement et inexorablement, mon père avait commencé à mourir.

Soupçon

1.

Barcelone, 1957

La clarté de l'aube me surprit sur le seuil de la chambre du petit Julián qui, pour une fois, dormait loin de tout et de tous, sourire aux lèvres. J'entendis les pas de Bea qui arrivait dans le couloir et sentis ses mains sur mon dos.

— Depuis combien de temps es-tu là ? demanda-t-elle.

— Un moment.

— Qu'est-ce que tu fais ?

— Je le regarde.

Bea s'approcha du berceau de Julián et se pencha pour poser un baiser sur son front.

— À quelle heure es-tu rentré hier soir ?

Je ne répondis pas.

— Comment va Fermín ?

— Moyennement.

— Et toi ? — Je me forçai à sourire. — Tu me racontes ? insista-t-elle.

— Plus tard.

— Je pensais que nous n'avions pas de secrets l'un pour l'autre, dit Bea.

— Moi aussi.

Elle me regarda, étonnée.

— Que veux-tu dire, Daniel ?

— Rien. Je ne veux rien dire. Je suis très fatigué. On va se coucher ?

Bea me prit par la main et me conduisit dans notre chambre. Nous nous couchâmes et je l'enlaçai.

— Cette nuit, j'ai rêvé de ta mère, dit Bea. D'Isabella.

La pluie commença de griffer les vitres.

— J'étais une petite fille et elle me tenait la main. Nous étions dans une maison très grande et très ancienne, avec des salons immenses, un piano à queue et une galerie qui donnait sur un jardin où se trouvait un bassin. Près du bassin, il y avait un enfant qui ressemblait à Julián, mais je savais qu'en réalité c'était toi, j'ignore pourquoi. Isabella s'agenouillait près de moi et me demandait si je pouvais te voir. Tu jouais à faire flotter un bateau en papier sur l'eau. Je lui répondais que oui. Alors elle me priait de veiller sur toi. De veiller sur toi toujours, parce qu'elle devait partir très loin.

Nous restâmes silencieux un long moment, écoutant le crépitement de la pluie.

— Qu'est-ce que Fermín t'a dit, hier soir ?

— La vérité, répondis-je. Il m'a dit la vérité.

Bea m'écoutait en silence tandis que j'essayais de lui restituer l'histoire de Fermín. Au début, je sentis de nouveau la rage monter en moi, mais, à mesure que je racontais, je fus envahi par une profonde tristesse et un grand désespoir. Tout cela était si nouveau pour moi que je ne savais pas comment j'allais pouvoir vivre désormais avec les secrets et les implications de ce que Fermín m'avait révélé. Ces événements s'étaient produits presque vingt ans plus tôt, et le temps m'avait condamné au rôle de simple spectateur d'une histoire où s'étaient tissés les fils de mon destin.

Lorsque j'eus fini de parler, je vis que Bea m'observait, le regard lourd d'inquiétude. Il n'était pas difficile de deviner ce qu'elle pensait.

— J'ai promis à mon père que, tant qu'il sera vivant, je

ne chercherai pas cet homme, Valls, et que je ne ferai rien, ajoutai-je pour la tranquilliser.

— Tant qu'il sera vivant ? Et ensuite ? Tu as pensé à nous ? À Julián ?

— Bien sûr, j'y ai pensé. Et tu n'as pas à te faire du souci, mentis-je. Après avoir parlé à mon père, j'ai compris que tout cela s'était passé voilà très longtemps et qu'on ne peut plus rien y changer.

Bea ne parut guère convaincue de ma sincérité. Je mentis de nouveau :

— C'est la vérité.

Elle soutint mon regard quelques instants, mais c'étaient bien les paroles qu'elle voulait entendre et, finalement, elle céda à la tentation d'y croire.

2.

L'après-midi, tandis que la pluie continuait de balayer les rues désertes et couvertes de flaques, la silhouette difforme et rongée par le temps de Sebastián Salgado se profila à la porte de la librairie. Il nous observait à travers la vitrine avec cet air avide qui n'appartenait qu'à lui, le visage éclairé par les lumières de la crèche. Il portait le même vieux costume que lors de sa première visite, aujourd'hui trempé. J'allai à la porte et lui ouvris.

— Une bien jolie crèche, dit-il.

— Vous n'entrez pas ?

Il fit quelques pas en boitant et s'arrêta, s'appuyant sur sa canne. Fermín le regardait avec méfiance depuis la caisse. Salgado sourit.

— Ça fait si longtemps, Fermín..., commença-t-il.

— Je vous croyais mort, répliqua Fermín.

— Moi de même, comme tout le monde. C'est ce qu'on nous a raconté. Que vous aviez été pris en tentant de vous évader et que vous aviez été tué d'une balle.

— Ça vous aurait fait trop plaisir.

— Si vous voulez la vérité, j'ai toujours gardé l'espoir que vous aviez réussi. On sait bien que la mauvaise herbe...

— Vous allez me faire pleurer, Salgado. Quand êtes-vous sorti ?

— Ça va faire un mois.

— Ne me dites pas qu'ils vous ont libéré pour bonne conduite !

— Je crois qu'ils se sont fatigués d'attendre que je meure. Savez-vous qu'ils m'ont gracié ? J'ai un document signé de Franco en personne.

— Je suppose que vous l'avez fait encadrer.

— Je le garde à la place d'honneur : au-dessus de la cuvette des waters, au cas où je manquerais de papier.

Salgado fit quelques pas en direction de la caisse et désigna une chaise posée dans un coin.

— Vous me permettez de m'asseoir ? Je ne suis pas encore habitué à faire plus de dix mètres en ligne droite et je me fatigue facilement.

— Faites donc, l'invitai-je.

Salgado se laissa choir sur la chaise et respira profondément, en se massant le genou. Fermín le regardait comme on observe un rat qui vient de grimper hors de la cuvette des cabinets.

— Vous faites la tête de quelqu'un qui découvre que celui dont on pensait qu'il serait le premier à passer l'arme à gauche a en réalité enterré tout le monde... Vous savez ce qui m'a conservé vivant toutes ces années, Fermín ?

— Si je ne vous connaissais pas si bien, je penserais que c'est le climat méditerranéen et l'air de la mer.

Salgado fit une tentative de sourire qui, chez lui, se traduisit par une toux rauque au bord de l'étouffement.

— Vous êtes toujours le même, Fermín. C'est pour ça que vous me plaisiez tellement. Quels temps nous avons vécus ! Mais je ne veux pas vous assommer avec ces vieilles histoires, et encore moins ce jeune homme, vu que cette génération s'en bat l'œil. Ce qui l'intéresse, c'est le charleston ou ce genre de trucs. Parlons plutôt affaires.

— Allez-y.

— C'est à vous de parler, Fermín. Moi, j'ai dit tout ce que j'avais à dire. Vous allez me rendre ce que vous me devez ? Ou devrons-nous faire un esclandre qui risque de ne pas être de votre goût ?

240

Fermín demeura impassible pendant quelques instants qui nous plongèrent dans un silence pénible. Salgado gardait les yeux rivés sur lui et semblait sur le point de cracher du venin. Fermín m'adressa un regard que je ne parvins pas à déchiffrer et soupira, résigné.

— Vous avez gagné, Salgado.

Il tira un petit objet de sa poche et le lui tendit. Une clef. *La clef.* Les yeux de Salgado brillèrent comme ceux d'un enfant. Il se leva et s'approcha lentement de Fermín. Il saisit la clef avec l'unique main qui lui restait, tremblant d'émotion.

— Si vous avez l'intention de vous l'introduire de nouveau dans le rectum, je vous serais reconnaissant de passer dans les cabinets, parce que vous êtes ici dans un lieu familial ouvert au public, l'avertit Fermín.

Salgado, qui avait repris des couleurs et recouvré le souffle de sa prime jeunesse, se fendit d'un sourire d'infinie satisfaction.

— Tout bien réfléchi, vous m'avez rendu le service de ma vie en la conservant toutes ces années, déclara-t-il.

— Les amis sont faits pour ça, répliqua Fermín. Allez en paix et n'hésitez pas à ne jamais revenir ici.

Salgado sourit encore et nous fit un clin d'œil. Il marcha vers la sortie, déjà perdu dans ses élucubrations. Avant d'arriver à la rue, il se retourna un instant et leva la main, en manière de salut pacifique.

— Je vous souhaite bonne chance et longue vie, Fermín. Et soyez rassuré, votre secret restera bien gardé.

Nous le vîmes partir sous la pluie, un vieil homme que n'importe qui aurait pris pour un moribond, mais qui, j'en avais la certitude, ne sentait à ce moment ni les gouttes de la pluie sur son visage ni les années d'enfermement et de misère qu'il charriait dans son sang. Je regardai Fermín qui, pâle et désemparé par la vision de son vieux compagnon de cellule, était resté cloué au sol.

— Nous allons le laisser partir comme ça ? demandai-je.

— Vous avez un meilleur plan ?

3.

Passé la traditionnelle minute de prudence, nous sortîmes dans la rue vêtus de gabardines noires, auxquelles s'ajoutait un parapluie de la taille d'un parasol que Fermín avait acheté dans un bazar du port avec l'idée de s'en servir aussi bien en hiver qu'en été pour ses escapades avec Bernarda à la plage de la Barceloneta.

— Fermín, avec ce monument, nous passons aussi inaperçus qu'une bande de coqs chantant en chœur cocorico, lui fis-je remarquer.

— Rassurez-vous, la seule chose que doit voir cette crapule, ce sont des doublons en or lui tombant du ciel, répliqua Fermín.

Salgado avait une centaine de mètres d'avance sur nous et boitait allègrement sous la pluie dans la rue Condal. Nous raccourcîmes un peu la distance, alors qu'il s'apprêtait à prendre un tramway montant dans la rue Layetana. Nous nous lançâmes au pas de course, repliant en même temps le parapluie, et nous réalisâmes le miracle d'attraper le tramway au vol. Dans la meilleure tradition de l'époque, nous fîmes le trajet accrochés à l'arrière. Salgado avait trouvé un siège à l'avant, cédé par un bon Samaritain qui était à cent lieues d'imaginer à qui il avait affaire.

— C'est ça, l'avantage de vieillir, dit Fermín. Personne ne se souvient qu'on a aussi été des cons.

Le tramway parcourut la rue Trafalgar et arriva à l'arc de triomphe. Nous jetâmes un coup d'œil à l'intérieur pour nous assurer que Salgado restait cloué sur son siège. Le receveur, un homme affublé d'une formidable moustache, nous observait, sourcils froncés.

— Si vous croyez qu'en restant accrochés là je ne vous ferai pas payer, vous vous mettez le doigt dans l'œil, je vous surveille depuis que vous êtes montés.

— Personne n'apprécie plus le réalisme social, murmura Fermín. Quel pays !

Nous lui tendîmes quelques pièces et il nous délivra nos tickets. Nous en étions à penser que Salgado avait dû s'endormir quand, au moment où le tramway enfilait la rue qui mène à la gare du Nord, il se leva et tira sur le cordon pour demander l'arrêt. Profitant de ce que le conducteur freinait, nous nous laissâmes choir devant le bâtiment moderniste tarabiscoté qui abrite les bureaux de la compagnie hydroélectrique et suivîmes le tramway à pied jusqu'à l'arrêt. Nous vîmes Salgado descendre, aidé par deux passagers, et prendre le chemin de la gare.

— Vous pensez la même chose que moi ? demandai-je.

Fermín confirma. Nous suivîmes Salgado dans la salle des pas perdus, en nous camouflant, malgré le parapluie démesuré de Fermín qui rendait notre présence douloureusement évidente. Salgado se dirigea vers une rangée de casiers métalliques alignés contre le mur comme dans un cimetière en miniature. Nous nous postâmes sur un banc dans l'ombre. Salgado avait fait halte devant la file infinie des casiers et les contemplait, concentré.

— Est-ce qu'il a oublié où il a mis le butin ? m'interrogeai-je.

— Oublié, lui ? Certainement pas. Ça fait vingt ans qu'il attend ce moment. Maintenant, il le savoure.

— Si vous le dites... Moi, je crois qu'il a oublié.

Nous restâmes là à l'observer.

— Vous ne m'avez jamais raconté où vous aviez caché la clef quand vous vous êtes évadé du fort..., risquai-je.

Fermín me jeta un regard hostile.

— Je n'ai pas envie d'aborder ce sujet, Daniel.

244

— Oubliez ma question.

L'attente se prolongea encore quelques minutes.

— Peut-être qu'il a un complice, hasardai-je, et qu'il l'attend.

— Salgado n'est pas du genre à partager.

— Ou alors il y a quelqu'un d'autre qui...

— Chuuut! m'intima Fermín en montrant Salgado qui avait enfin bougé.

Le vieil homme alla à un casier et posa la main sur la porte métallique. Il sortit la clef et l'introduisit dans la serrure. Il ouvrit la porte et scruta l'intérieur. À cet instant, deux gardes civils doublèrent le coin du hall en venant des quais et s'approchèrent de l'endroit où Salgado tentait d'extraire quelque chose du casier.

— Aïe, aïe, aïe!..., murmurai-je.

Salgado se retourna et salua les deux gardes civils. Ils échangèrent quelques mots et l'un d'eux retira une mallette de l'intérieur, qu'il posa par terre, aux pieds de Salgado. Le voleur les remercia de leur aide avec effusion et les deux gardes civils saluèrent en portant la main à leur tricorne avant de poursuivre leur ronde.

— ¡ Viva España! chuchota Fermín.

Salgado s'empara de la mallette et la traîna vers un autre banc, à l'opposé de celui que nous occupions.

— Il ne va quand même pas l'ouvrir ici? m'étonnai-je.

— Il a besoin de s'assurer que tout est bien dedans, répliqua Fermín. Il a fallu à cette canaille endurer des années de souffrances avant de récupérer son trésor.

Salgado vérifia à plusieurs reprises qu'il n'y avait personne à proximité et, finalement, se décida. Nous le vîmes ouvrir la mallette d'à peine quelques centimètres et inspecter l'intérieur.

Il demeura ainsi presque une minute, immobile. Nous nous regardâmes, Fermín et moi, sans comprendre. Soudain, Salgado referma la mallette, puis se leva et se dirigea vers la sortie en la laissant derrière lui, devant le casier ouvert.

245

— Mais qu'est-ce qu'il fait ? interrogeai-je.

Fermín me fit signe.

— Vous, allez voir la mallette, moi, je le suis...

Sans me donner le temps de répliquer, Fermín se hâta vers la sortie. Je me dirigeai d'un pas rapide vers l'endroit où Salgado avait abandonné la mallette. Un petit malin qui lisait le journal sur un banc voisin avait lui aussi suivi la scène et, après un coup d'œil à droite et à gauche, s'approcha comme un vautour qui fond sur sa proie. Je pressai le pas. L'inconnu allait s'en emparer quand, miraculeusement, je réussis à l'en empêcher.

— Cette mallette n'est pas à vous, dis-je.

L'individu prit un air farouche et se cramponna à la poignée.

— Je préviens la Garde civile ? menaçai-je.

Apeuré, le petit malin lâcha la mallette et disparut du côté des quais. Je la rapportai jusqu'au banc, m'assurai que personne ne prenait garde à moi et l'ouvris.

Elle était vide.

À ce moment, seulement, j'entendis un grand bruit de voix et je levai les yeux pour constater qu'un attroupement s'était formé à la sortie de la gare. Je me mis debout et vis à travers les vitres le couple de la Garde civile se frayer un passage dans un cercle de curieux rassemblés sous la pluie. Lorsque les badauds se furent écartés, j'aperçus Fermín, agenouillé, qui soutenait Salgado dans ses bras. Le vieil homme avait les yeux ouverts comme s'il regardait la pluie. Une femme qui entrait à cet instant porta la main à sa bouche.

— Que s'est-il passé ? l'interrogeai-je.

— Un pauvre vieux vient de tomber raide, dit-elle.

Je m'approchai lentement de ceux qui observaient la scène. Fermín échangea quelques mots avec les deux gardes civils. Puis il ôta sa gabardine et l'étendit sur le cadavre de Salgado, lui couvrant le visage. Quand j'arrivai, une main comportant seulement trois doigts dépassait du vêtement et, dans la paume luisante d'eau il y avait une clef. J'abritai Fermín sous le parapluie et lui posai la main sur le bras.

— Est-ce que ça va, Fermín ?

Mon bon ami haussa les épaules.

— On rentre à la maison, parvint-il à murmurer.

4.

Tandis que nous nous éloignions de la gare, j'enlevai ma gabardine et la posai sur le dos de Fermín. La sienne était restée sur le cadavre de Salgado. Il ne me semblait pas que mon ami soit en mesure de faire un long parcours et je décidai d'arrêter un taxi. Je lui ouvris la portière et quand il fut assis à l'intérieur, je montai de l'autre côté.

— La mallette était vide. Quelqu'un a roulé Salgado.

— À voleur, voleur et demi...

— Qui a pu faire ça, selon vous ?

— Peut-être le même que celui qui lui a dit que j'avais la clef et lui a expliqué où il pouvait me trouver, murmura Fermín.

— Valls ?

Fermín soupira, abattu.

— Je ne sais pas, Daniel. Je ne sais pas quoi penser.

J'aperçus dans le rétroviseur le regard du chauffeur qui attendait.

— Nous allons à l'entrée de la Plaza Real, rue Fernando, indiquai-je.

— On ne retourne pas à la librairie ? demanda Fermín, trop épuisé physiquement pour discuter ne fût-ce que le trajet d'un taxi.

— Moi, si. Mais vous, vous allez chez M. Gustavo pour passer le reste de la journée avec Bernarda.

Nous fîmes le parcours en silence, tandis que Barcelone s'estompait sous la pluie. En arrivant aux arcades de la rue Fernando où, des années auparavant, j'avais fait la connaissance de Fermín, je réglai la course et nous descendîmes. J'accompagnai mon ami jusqu'au porche de M. Gustavo et le serrai dans mes bras.

— Remettez-vous, Fermín. Et mangez quelque chose, sinon, la nuit de vos noces, Bernarda se retrouvera avec un os planté dans le corps.

— Soyez sans crainte. Parce que moi, quand je le décide, je grossis plus facilement qu'une soprano. Dès que je serai là-haut, je me goinfrerai de *polvorones*, de ceux que s'achète M. Gustavo à la Casa Quílez, et demain vous me retrouverez gras comme un porcelet.

— On verra... Transmettez mes souvenirs à la fiancée.

— Je n'y manquerai pas, bien que telles que se présentent les choses sur le plan juridico-administratif, je me voie condamné à vivre dans le péché.

— Pas question. Vous vous souvenez de ce que vous m'avez dit un jour? Que le destin ne fait pas de visite à domicile et qu'il faut aller le prendre par la peau du cou?

— Je dois vous avouer que j'ai sorti ça d'un livre de Carax. C'était joliment tourné.

— En tout cas, je l'ai cru et je continue à le croire. Voilà pourquoi je vous répète que votre destin est de vous marier avec Bernarda, dans les règles et à la date prévue, avec curé, riz, nom et prénoms.

Mon ami me lança un coup d'œil sceptique.

— Aussi vrai que je m'appelle Daniel, vous vous marierez par la grande porte, assurai-je à un Fermín décomposé dont je soupçonnais que même une boîte de Sugus ou un film au Femina avec Kim Novak portant des soutiens-gorge en obus défiant les lois de la gravité ne parviendraient pas à remonter le moral.

— Puisque vous le dites, Daniel...

— Vous m'avez rendu la vérité. Je vous rendrai votre nom.

5.

L'après-midi même, de retour à la librairie, je mis en route mon plan de sauvetage de l'identité de Fermín. La première phase consista à donner plusieurs coups de téléphone depuis l'arrière-boutique et à établir un calendrier. La seconde requérait de faire appel au talent d'experts dont l'efficacité était reconnue.

Le lendemain, qui s'avéra paisible et ensoleillé, je pris à midi le chemin de la bibliothèque du carmel, où le professeur Alburquerque m'avait donné rendez-vous. J'étais convaincu que si lui ne savait pas, personne ne saurait.

Je le trouvai dans la grande salle de lecture, entouré de livres et de papiers, concentré, stylo en main. Je m'assis face à lui de l'autre côté de la table et le laissai travailler. Il tarda presque une minute à s'apercevoir de ma présence. En levant les yeux, il me regarda, surpris.

— Ce que vous écrivez doit être vraiment passionnant, risquai-je.

— Je travaille à une série d'articles sur les écrivains maudits de Barcelone, expliqua-t-il. Vous vous souvenez de ce Julián Carax, un auteur que vous m'avez recommandé, il y a des mois de ça, à la librairie ?

— Bien sûr, répondis-je.

— Eh bien, j'ai fait des recherches sur lui, et son histoire est incroyable. Saviez-vous que pendant des années un personnage diabolique s'est consacré à courir le monde à la recherche des livres de Carax pour les brûler ?

— Ça alors ! m'exclamai-je, feignant la surprise.

— Un cas des plus étranges. Je vous le ferai lire quand j'aurai terminé.

— Vous devriez écrire un livre là-dessus, proposai-je. Une histoire secrète de Barcelone à travers ses écrivains maudits et officiellement interdits.

Le professeur soupesa l'idée, perplexe.

— C'est vrai, j'y ai pensé, cependant j'ai tellement de travail, entre les journaux et l'université...

— Si ce n'est pas vous qui l'écrivez, personne ne le fera...

— Vous avez peut-être raison, je devrais m'y mettre pour de bon. Je ne sais pas comment je trouverai le temps, mais...

— Sempere & Fils met à votre disposition son fonds éditorial et son aide pour tout ce dont vous aurez besoin.

— J'en prends note. Et maintenant ? On va déjeuner ?

Le professeur Alburquerque replia les voiles pour la journée et nous mîmes le cap sur la Casa Leopoldo où, accompagnés de vins et d'une assiette de jambon sublime, nous nous assîmes dans l'attente de deux *rabos de toro*, le plat du jour.

— Comment se porte notre bon ami Fermín ? Il y a une quinzaine de jours, au Can Lluis, il avait l'air de filer un mauvais coton.

— C'est justement de lui que je voulais vous parler. La question est quelque peu délicate et je dois vous prier de la laisser entre nous.

— Bien entendu. Que puis-je faire ?

Je me mis en devoir de lui exposer le problème de façon succincte, en évitant d'entrer dans les détails scabreux ou inutiles. Le professeur devina que j'en gardais beaucoup plus par-devers moi que je ne lui en montrais, toutefois il fit preuve d'une discrétion exemplaire.

— Voyons si j'ai bien compris, résuma-t-il. Fermín ne peut pas utiliser son identité parce que, officiellement, il a été déclaré mort voici presque vingt ans et donc, aux yeux de l'État, il n'existe pas.

— Exact.

— Mais, d'après vous, cette identité qui a été annulée était également fictive, une invention de Fermín lui-même pendant la guerre pour sauver sa peau.

— Exact.

— C'est là que je me perds. Aidez-moi, Daniel. Si Fermín a sorti de sa manche à cette époque une fausse identité, pourquoi n'utilise-t-il pas aujourd'hui l'autre pour se marier?

— Pour deux raisons, professeur. La première est tout bonnement pratique : qu'il use de son vrai nom ou d'un autre inventé, Fermín n'a aucune identité effective et donc, quelle que soit celle dont il décide de se servir, elle doit être créée à partir de zéro.

— Il veut continuer à être Fermín, je suppose.

— Oui. Et c'est la seconde raison, qui n'est plus pratique mais, disons, spirituelle, et de loin la plus importante. Fermín veut continuer à être Fermín, parce que c'est le nom de la personne dont Bernarda est amoureuse et celui de l'homme qui est notre ami, l'homme que nous connaissons et qu'il souhaite être. Cela fait des années que la personne qu'il fut jadis n'existe plus pour lui. Même moi, qui suis probablement son meilleur ami, j'ignore son nom de naissance. Pour moi, pour tous ceux qui l'aiment, et par-dessus tout pour lui-même, il est Fermín Romero de Torres. Au fond, s'il s'agit de lui créer une nouvelle identité, pourquoi pas celle qui est désormais la sienne?

Le professeur finit par acquiescer.

— C'est vrai, reconnut-il.

— Dans ce cas, professeur, pensez-vous que ce soit faisable?

— Eh bien, c'est le genre de mission à la Don Quichotte qu'on ne voit pas tous les jours, estima le professeur.

Comment pourvoir le Chevalier à la Triste Figure, don Fermín de la Manche, d'un pedigree et d'une liasse de papiers falsifiés qui lui permettront, aux yeux de Dieu et de l'état civil, de convoler en justes noces avec sa belle Bernarda du Toboso?

— J'y ai réfléchi et j'ai consulté des livres de droit. Dans ce pays, l'identité d'une personne commence avec un acte de naissance, qui, si l'on se donne la peine de l'étudier, est un document très simple.

Le professeur ouvrit de grands yeux.

— Ce que vous suggérez est délicat. Sans compter que c'est un grave délit.

— Et j'ajouterai sans précédent, au moins dans les annales judiciaires. J'ai vérifié.

— Poursuivez, je suis tout ouïe.

— Supposons que quelqu'un, par pure hypothèse, ait accès aux bureaux de l'état civil et *implante* un acte de naissance dans les archives... Est-ce que ce ne serait pas une base suffisante pour établir l'identité d'une personne?

Le professeur hocha la tête.

— Pour un nouveau-né, c'est possible. Pour un adulte, il serait nécessaire de créer tout un historique avec d'autres documents – toujours hypothétiquement, cela va de soi. Même si vous aviez cet hypothétique accès aux archives, d'où tireriez-vous ces documents?

— Disons que je pourrais créer une série de fac-similés crédibles. Qu'en pensez-vous?

Le professeur réfléchit méticuleusement.

— Le risque principal serait que quelqu'un découvre la fraude et veuille la révéler. Si, dans ce cas, la partie susceptible d'alerter sur le manque de crédibilité de ces documents avait disparu, le problème se réduirait, premiè-rement, à introduire dans le système un dossier avec un historique de l'identité fictif mais bien présent, et, deuxiè-mement, à générer toute la kyrielle de documents néces-saires afin d'établir ladite identité. Je parle de papiers de toutes couleurs et de tous genres, qui vont des actes de

254

naissance paroissiaux aux cartes d'identité et autres certificats...

— En ce qui concerne le premier point, je sais que vous êtes en train d'écrire une série d'articles sur les merveilles du système légal espagnol, à la demande de la Députation pour un mémoire sur cette institution. J'ai un peu cherché, et j'ai découvert que, lors des bombardements de la guerre, de nombreuses archives de l'état civil ont été détruites. Cela signifie que des centaines, des milliers d'identités ont dû être reconstituées avec les moyens du bord. Je ne suis pas un expert, néanmoins je prends le risque de supposer que cela peut constituer une faille dont quelqu'un de bien informé, de bien introduit, et ayant un plan, pourrait se servir pour...

Le professeur me regarda ironiquement.

— Vous avez effectué un véritable travail d'investigation, Daniel !

— Pardonnez mon audace, professeur, mais pour le bonheur de Fermín ça le valait bien, et plus encore.

— Et cela vous honore. Toutefois ça peut valoir une lourde condamnation à celui qui tenterait de faire une chose comme celle-là et se ferait prendre la main dans le sac.

— C'est la raison pour laquelle j'ai pensé que si quelqu'un, toujours hypothétiquement, avait accès à l'une de ces archives reconstituées de l'état civil, il pourrait se faire assister d'un collaborateur qui assumerait la partie la plus risquée de l'opération.

— En pareil cas, l'hypothétique collaborateur devrait être en mesure de garantir à celui qui lui permettrait cet accès une remise de vingt pour cent sur le prix de tout livre acheté chez Sempere & Fils, et cela à vie. Et une invitation à la noce du nouveau-né.

— C'est comme si c'était fait. Et la remise serait portée à vingt-cinq pour cent. Bien que je sache de bonne source qu'il y a quelqu'un qui, hypothétiquement encore, et pour le simple plaisir de marquer un but contre un régime pourri et corrompu, serait capable de faire tout cela *pro bono*, sans rien recevoir en échange.

— Je suis professeur d'université, Daniel. Le chantage sentimental n'a aucun effet sur moi.

— Pour Fermín, alors.

— Ça, c'est autre chose. Passons aux aspects techniques.

Je tirai de ma poche le billet de cent pesetas que m'avait donné Salgado et le lui montrai.

— Cela représente le budget des frais et des formalités d'expédition, précisai-je.

— Je vois que vous êtes grand seigneur, mieux vaut garder cet argent pour d'autres occasions qui pourront se présenter dans l'accomplissement de nos exploits, car mes services sont gratuits, répliqua le professeur. Les nouveaux centurions du régime, ne se contentant plus de s'intéresser aux marécages et aux missels, ont multiplié par deux un système bureaucratique déjà monstrueux et digne des pires cauchemars de notre ami Franz Kafka. Comme je vous l'ai dit, un cas comme celui-là nécessitera toutes sortes de cartes, déclarations, formulaires et autres documents suffisamment crédibles, qui doivent avoir le contenu, le style et le parfum propres à un dossier souvent consulté et dégageant une poussière indiscutable...

— Là, nous sommes couverts, lui assurai-je.

— Je vais avoir besoin de la liste des complices de cette conspiration pour m'assurer que vous n'allez pas à l'aventure.

Je lui expliquai alors le reste de mon plan.

— Ça peut fonctionner, conclut-il.

Quand notre plat arriva, nous arrêtâmes encore plusieurs détails, puis la conversation dériva sur d'autres sujets. Au café, bien que m'étant mordu la langue pendant tout le repas, je ne pus me retenir davantage et, feignant de n'y accorder aucune importance, je laissai tomber ma question :

— À propos, professeur, l'autre jour, je discutais avec un client de la librairie et, incidemment, est sorti le nom de

Mauricio Valls, celui qui a été ministre de la Culture et je ne sais plus quoi encore. Que savez-vous de lui ?

Le professeur leva les yeux au ciel.

— De Valls ? Ce qui est de notoriété publique, je suppose.

— Je suis sûr que vous en savez plus long que tout le monde, professeur. Beaucoup plus long.

— Eh bien, pour tout vous avouer, ça fait quelque temps que je n'ai pas entendu prononcer ce nom, mais, il y a peu encore, Mauricio Valls était un personnage important. Il a en effet été durant quelques années notre brillant et distingué ministre de la Culture, le directeur de nombreux organismes et institutions, un homme bien placé dans le régime et très estimé dans son secteur d'activité, protecteur d'un tas d'individus, chouchou des pages culturelles de la presse espagnole... Un personnage illustre.

Je souris faiblement, comme si j'en étais heureusement surpris.

— Et plus maintenant ?

— Franchement, ça fait un bout de temps qu'il a disparu de la carte, ou du moins de la sphère publique. Je crois qu'on lui a donné une ambassade quelconque, ou un poste dans une organisation internationale, vous savez comment ça se passe, toujours est-il que j'ai perdu sa trace... Je sais qu'il a créé une maison d'édition avec des associés, voici quelques années. La maison a le vent en poupe et publie à tour de bras. Je reçois tous les mois des invitations pour la présentation d'un de ses titres...

— Valls assiste à ces présentations ?

— À l'époque, oui. Il nous faisait rire, parce qu'il parlait toujours plus de lui-même que du livre ou de l'auteur qu'il présentait, mais ça remonte assez loin. Voilà des années que je ne l'y vois plus. Puis-je vous demander la raison de votre intérêt, Daniel ? Je ne vous savais pas porté sur la petite foire aux vanités de notre monde littéraire.

— Simple curiosité.

— Ah...

Tandis que le professeur Alburquerque réglait la note, il me lança un regard en coin.

— Pourquoi ai-je toujours l'impression que vous ne me dites jamais plus de la moitié, sinon du quart, de ce que vous avez derrière la tête ?

— Je vous raconterai le reste un jour, professeur. Je vous le promets.

— Ça vaudrait mieux, car les villes n'ont pas de mémoire et elles ont besoin de quelqu'un comme moi, un savant qui est tout sauf distrait, pour la maintenir vivante.

— Passons un accord : vous m'aidez à résoudre le problème de Fermín et moi je vous conterai un jour certaines choses que Barcelone préférerait oublier. Pour votre histoire secrète.

Le professeur me tendit la main et je la serrai.

— Je vous prends au mot. Maintenant, revenons à Fermín et aux documents que nous allons devoir sortir du chapeau...

— Je crois que j'ai l'homme idoine pour cette mission, déclarai-je.

6.

Oswaldo Darío de Mortenssen, prince des écrivains publics barcelonais et désormais une vieille connaissance, était en train de jouir de sa pause d'après déjeuner dans sa baraque sise près du palais de la Vice-Reine. Il savourait un café arrosé et fumait un Faria, quand il me vit arriver et me salua de la main.

— Tiens, voilà le retour de l'enfant prodigue. Vous avez changé d'idée? On la fait, cette lettre d'amour qui vous ménagera l'accès aux fermetures éclair et autres défenses de la jeune personne convoitée?

Je lui montrai de nouveau mon alliance, et la mémoire lui revint.

— Excusez-moi. L'habitude. C'est vrai que vous êtes un homme préhistorique. Que puis-je faire pour vous?

— L'autre jour, je me suis rappelé que votre nom ne m'était pas inconnu, monsieur Oswaldo. Je travaille dans une librairie et j'ai trouvé un roman de vous daté de 1933, *Les Cavaliers du crépuscule.*

Oswaldo laissa errer ses souvenirs et eut un sourire nostalgique.

— Le bon vieux temps. Cette paire de canailles de Barrido et Escobillas, mes éditeurs, m'a extorqué jusqu'à mon dernier centime. Qué le diable les emporte et les garde soigneusement sous clef. Mais le plaisir que j'ai pris à écrire ce roman, personne ne pourra me l'ôter.

— Si je vous l'apporte un de ces jours, vous me le dédi-cacerez ?

— Oh oui ! Ce fut mon chant du cygne. Le monde n'était pas prêt pour un western situé dans le delta de l'Èbre avec des bandits en canoë au lieu de chevaux et des moustiques de la taille d'une pastèque géante.

— Vous êtes le Zane Grey de la côte catalane.

— J'aurais bien aimé. En quoi puis-je vous être utile, jeune homme ?

— Vous pouvez me prêter votre art et votre talent pour une entreprise tout aussi héroïque.

— Je suis tout ouïe.

— J'ai besoin qu'on m'aide à inventer un passé sur la base de documents qui permettront à un ami de convo-ler en justes noces sans entrave légale avec la femme qu'il aime.

— Un honnête homme ?

— Le meilleur que je connaisse.

— Dans ce cas, inutile d'en dire plus. J'ai toujours adoré les scènes de mariage et de baptême.

— Il faudrait des formulaires, des demandes de papiers, des certificats, enfin toute la panoplie.

— Ça ne sera pas un problème. J'en déléguerai une partie à Luisito, que vous connaissez déjà. On peut lui faire entièrement confiance et c'est un artiste capable d'emprunter douze écritures différentes.

Je sortis le billet de cent pesetas que le professeur avait décliné et le lui tendis. Oswaldo ouvrit des yeux grands comme des soucoupes et l'empocha en un clin d'œil.

— Et après ça, on prétend qu'en Espagne on ne peut pas vivre de sa plume !

— Est-ce que ça couvrira les frais de l'opération ?

— Largement. Quand j'aurai tout, je vous dirai à com-bien se monte la plaisanterie, mais j'oserais avancer qu'on devrait s'en tirer pour quinze douros.

— Je vous laisse juge, Oswaldo. Mon ami le professeur Alburquerque...

— Une plume remarquable, trancha Oswaldo.

— Et surtout le meilleur des hommes. Le professeur Alburquerque, donc, viendra vous voir et vous indiquera les documents nécessaires avec tous les détails. Pour tout ce dont vous pourriez avoir besoin, vous me trouverez à la libraire Sempere & Fils.

En entendant ce nom, son visage s'illumina.

— Le sanctuaire! Quand j'étais jeune, j'y allais tous les samedis pour que M. Sempere m'ouvre les yeux.

— Mon grand-père.

— Aujourd'hui, ça fait des années que je n'y mets plus les pieds, mes finances étant au plus bas, et je dois me contenter de la bibliothèque de prêt.

— Alors faites-nous l'honneur de revenir à la librairie, monsieur Oswaldo, la maison vous est ouverte, et ne vous inquiétez pas pour les prix.

— Je n'y manquerai pas.

Il me tendit la main et je la serrai.

— C'est un honneur d'être en affaires avec les Sempere.

— Que cet honneur soit le premier de beaucoup d'autres.

— Et le boiteux que vous couviez des yeux l'autre jour, comme s'il valait son poids en or?

— Il s'est avéré que tout ce qui brille n'est pas or.

— Un signe des temps.

7.

Barcelone, 1958

Ce mois de janvier se présenta vêtu d'un ciel cristallin et d'une lumière glacée qui soufflait de la neige en poudre sur les toits de la ville. Le soleil brillait tous les jours et arrachait des pans de lumière et d'ombre aux façades d'une Barcelone transparente où les autobus à deux étages circulaient le haut vide et où les tramways laissaient dans leur sillage un halo de vapeur sur les rails.

Les lumières des décorations de Noël brillaient en guirlandes de feu bleu au-dessus des rues de la vieille ville, et les souhaits sirupeux de paix aux hommes de bonne volonté qui dégoulinaient des cantiques de mille et un haut-parleurs jusqu'au pied des boutiques et des commerces étaient accablants. Suffisamment, en tout cas, pour que, le jour où un mauvais plaisant s'avisa de se coiffer du bonnet de l'enfant Jésus de la crèche installée par la municipalité sur la place San Jaime, le garde chargé de la surveillance, au lieu de le traîner par la peau du cou au commissariat le plus proche, comme le réclamait un groupe de pieuses commères, fasse semblant de ne pas le voir, jusqu'à ce qu'un quidam prévienne l'archevêché, qui expédia trois bonnes sœurs pour rétablir l'ordre.

Les ventes de Noël n'en finissaient pas de croître, et une étoile des rois mages sous forme de chiffres noirs sur le livre de comptes de Sempere & Fils nous garantissait le règlement des factures d'électricité et de chauffage, voire, avec un peu de chance, notre pain quotidien. Mon père semblait avoir recouvré le moral et avait décrété que, l'an prochain, nous n'attendrions pas le dernier moment pour décorer la librairie.

— Nous voilà abonnés aux crèches, avait murmuré Fermín sans le moindre enthousiasme.

Une fois passé l'Épiphanie, mon père nous donna des instructions pour emballer soigneusement la crèche, et nous la descendîmes à la cave pour l'y déposer jusqu'au Noël suivant.

— En douceur, prévint mon père. Je ne veux pas apprendre que vous avez laissé tomber accidentellement mes cartons, Fermín.

— Comme de l'or en barre, monsieur Sempere. Je réponds sur ma vie de l'intégrité de la crèche et de tous les animaux de la ferme qui œuvrent au bien-être du Messie dans ses langes.

Les cartons contenant toute la décoration de Noël ayant été rangés, je m'attardai un instant pour jeter un coup d'œil à la cave et à ses recoins oubliés. La dernière fois que nous y étions descendus, la conversation avait dérivé, prenant un cours que ni Fermín ni moi n'avions plus évoqué mais qui continuait son chemin dans ma mémoire. Fermín parut lire dans mes pensées et hocha la tête.

— Vous pensez toujours à la lettre de ce crétin ?

— Par moments.

— Vous n'en avez pas parlé à madame Beatriz ?

— Non. J'ai remis la lettre dans la poche de son manteau et je n'ai pas pipé mot.

— Et elle ? Elle n'a pas dit qu'elle avait reçu une lettre du don Juan ?

Je fis signe que non. Fermín fronça le nez, signifiant par là que ce pouvait être de bon augure.

— Vous avez pris une décision ?

— À quel propos ?

264

— Ne faites pas l'idiot, Daniel. Oui ou non, allez-vous suivre votre femme à ce rendez-vous avec ce type au Ritz et provoquer un scandale ?

— Vous posez donc en principe qu'elle ira, protestai-je.

— Pas vous ?

Je baissai les yeux, me dégoûtant moi-même.

— Quelle sorte de mari est celui qui ne fait pas confiance à sa femme ? demandai-je.

— Je vous donne des noms et prénoms, ou une statistique vous suffit-elle ?

— Moi, je fais confiance à Bea. Elle serait incapable de me tromper. Elle est ainsi. Si elle avait quelque chose à me dire, elle me le dirait en face, sans détour.

— Dans ce cas, vous n'avez aucun souci à vous faire, non ?

Quelque chose dans le ton de Fermín me donna à penser que mes soupçons et mes incertitudes l'avaient déçu, et que, même s'il ne l'admettrait jamais, l'idée l'attristait que je puisse consacrer mon temps à ruminer des pensées mesquines et à douter de la sincérité d'une femme que je ne méritais pas.

— Vous devez me croire stupide.

— Non. Je crois que vous êtes un homme heureux, du moins en amour, et que, comme presque tous ceux qui le sont, vous ne vous en rendez pas compte.

Un coup frappé à la porte, en haut de l'escalier, nous rappela à la réalité.

— À moins que vous ayez trouvé du pétrole dans le sous-sol, faites-moi le plaisir de remonter, il y a du travail ! nous lança mon père.

Fermín soupira.

— Depuis qu'il est sorti du rouge, il est devenu tyrannique. Les ventes le dopent. Ce n'est plus le même homme...

Les jours s'écoulaient au compte-gouttes. Fermín avait finalement consenti à déléguer les préparatifs et les détails du banquet et de la noce à mon père et à M. Gustavo, jouant tous deux le rôle de figures paternelles et d'autorités en la matière. Moi, en qualité de témoin, j'aidais le comité directeur. Bea exerçait les fonctions de directrice artistique et coordonnait tout ce que cela impliquait d'une main de fer.

— Fermín, Bea me donne l'ordre de nous rendre à la Casa Pantaleoni pour que vous y essayiez le costume.

— Pourvu que ce ne soit pas un habit rayé...

Je lui avais juré solennellement que, le moment venu, son nom serait officiellement reconnu et que son ami le curé de la paroisse pourrait prononcer les mots : «Fermín, veux-tu prendre pour épouse...» sans que nous finissions tous au poste, pourtant, à mesure que la date approchait, il se consumait d'angoisse et d'anxiété. Bernarda survivait à coups de prières et de gâteaux, avec une préférence pour les *tocinillos de cielo*, bien que, une fois confirmé sa grossesse par un docteur discret et de confiance, elle consacre une partie de ses journées à combattre nausées et maux de cœur, tout laissant prévoir que le premier-né de Fermín serait du genre combatif.

Ce furent des jours d'un calme trompeur, car, sous la surface, j'avais succombé à un courant trouble et obscur qui m'entraînait lentement vers les profondeurs d'un sentiment nouveau et irrésistible : la haine.

À mes moments de liberté, sans en piper mot à quiconque, je m'échappais pour aller à l'Ateneo de la rue Canuda, où je suivais la trace de Mauricio Valls dans le fonds des périodiques et les fichiers. Ce qui n'avait été durant des années qu'une vague figure prenait de jour en jour une clarté et une précision douloureuses. Mes recherches me permirent de reconstituer peu à peu la trajectoire publique de Valls au cours des quinze dernières années. Beaucoup d'eau avait coulé sous les ponts depuis ses débuts d'alevin du régime. Avec le temps et de bonnes protections, don Mauricio Valls, si l'on en croyait les journaux – mais, comme disait Fermín, pour en arriver à une telle extrémité, il fallait être également capable de croire que le TriNaranjus était fabriqué en pressant des oranges fraîches de Valence –, avait vu ses ambitions se concrétiser : il était devenu une étoile de première grandeur dans le firmament de l'Espagne des arts et des lettres.

Son ascension avait été irrésistible. À partir de 1944, il avait enchaîné les nominations à des postes officiels d'une importance toujours croissante dans le monde des institutions académiques et culturelles du pays. Ses articles, discours et publications devenaient légion. Tout concours, colloque ou événement culturel qui se respectait ne pouvait se passer de la présence et de la participation de don Mauricio. En 1947, avec deux associés, il créait la société générale d'édition Ariadna, avec bureaux à Madrid et Barcelone, que la presse s'évertuait à canoniser comme la « marque prestigieuse » des lettres espagnoles.

En 1948, cette même presse commençait à citer communément Mauricio Valls comme l'« intellectuel le plus brillant et le plus respecté de la nouvelle Espagne ». Ce monde des intellectuels autoproclamés du pays et de ceux qui aspiraient à en faire partie semblait vivre une romance passionnée avec don Mauricio. Les journalistes des pages culturelles se répandaient en éloges et en adulations pour obtenir ses faveurs; si la chance leur souriait, ils parvenaient à faire publier par sa maison d'édition l'œuvre qu'ils gardaient dans leur tiroir, afin d'entrer à leur tour dans le cénacle et de savourer ne fût-ce que quelques gouttes de son précieux miel.

Valls avait appris les règles du jeu et maîtrisait l'échiquier mieux que personne. Au début des années 1950, sa renommée et son influence dépassaient déjà les chapelles officielles et commençaient à gagner la société civile et ses serviteurs. Les consignes de Mauricio Valls étaient devenues une bible de vérités révélées que tout citoyen appartenant à l'establishment très choisi des trois ou quatre mille Espagnols qui se tenaient pour cultivés et considéraient de haut le reste de leurs compatriotes répétait en élève appliqué.

Dans sa marche vers les cimes, Valls avait réuni autour de lui un cercle étroit de personnages du même acabit qui lui mangeaient dans la main et prenaient le contrôle d'institutions et de postes de pouvoir. Si quelqu'un osait mettre en doute la parole ou la valeur de Valls, la presse s'employait à le crucifier sans trêve, traçant du pauvre malheureux un portrait si effroyable et si sordide qu'il en était réduit à l'état de paria, un être innommable, un gueux qui trouvait toutes les portes closes et n'avait plus qu'à choisir entre l'oubli et l'exil.

· Je passai des heures interminables à lire entre les lignes, à comparer les diverses versions, à établir des listes de succès et de cadavres cachés dans les placards. En d'autres circonstances, l'objet de mon étude aurait été purement anthropologique, et j'aurais tiré mon chapeau à don Mauricio et sa maestria. Nul ne pouvait nier qu'il avait appris à scruter le cœur et l'âme de ses concitoyens et à manipuler les fils qui animaient leurs passions, leurs espoirs et leurs chimères.

Le sentiment que j'en retirai, après des jours et des jours d'immersion dans la version officielle de la vie de Valls, fut l'assurance que le mécanisme de la construction d'une nouvelle Espagne ne cessait de se perfectionner : l'ascension fulgurante de don Mauricio vers le pouvoir et ses autels incarnait un modèle qui préfigurait l'avenir et qui, en toute certitude, survivrait au régime en étendant des racines profondes et inamovibles sur tout le territoire pour de nombreuses décennies.

À partir de 1952, Valls était arrivé au sommet en prenant la tête du ministère de la Culture pour trois ans, un temps dont il avait profité pour affirmer sa domination et placer ses larbins aux quelques postes qu'il n'était pas encore parvenu à contrôler. Le ton de sa vie publique avait pris un tour monotone. Ses paroles étaient citées comme une source de sagesse. Sa présence dans les jurys, instances de décision et réunions mondaines de toutes sortes était constante. Son arsenal de diplômes, lauriers et décorations ne cessait de croître.

Je ne le remarquai pas dans mes premières lectures. Les défilés de louanges et de comptes rendus consacrés à don Mauricio se prolongeaient sans trêve, mais, à partir de 1956, se glissait un détail, enterré au milieu du flot d'informations, qui contrastait avec ce qui avait été publié jusque-là. Le ton et le contenu des articles ne variaient pas, néanmoins, à force de les lire et de les relire en les comparant, quelque chose attira mon attention.

Don Mauricio n'était plus apparu en public.

Son nom, son prestige, sa réputation continuaient d'avoir le vent en poupe. Seul manquait un élément : sa personne. Depuis 1956, il n'y avait plus de photographie, plus de mention de sa présence, plus de référence directe à sa participation à des réunions publiques.

La dernière coupure de presse où figurait Mauricio Valls était datée du 2 novembre 1956. On le voyait lors de la remise du prix récompensant le travail éditorial le plus remarquable de l'année qui lui avait été décerné au cours d'une séance solennelle au cercle des Beaux-Arts de Madrid. Y avaient participé les plus hautes autorités et le gratin de la société du moment. Le texte de l'article suivait les règles habituelles et prévisibles du genre, celles d'une notice officielle transformée en écho rédactionnel. Le plus intéressant était la photo qui l'accompagnait : on y découvrait Valls aux abords de son soixantième anniversaire, élégamment vêtu d'un costume de bonne coupe, souriant d'un air modeste et cordial tandis qu'il recevait une ovation du public. D'autres habitués de ce genre de cérémonies figuraient à ses côtés et, derrière lui, jurant légèrement avec le reste de l'assistance, on apercevait deux individus au visage sérieux et impénétrable, retranchés derrière des lunettes teintées et habillés de noir. Ils ne semblaient pas participer à la cérémonie. Leur mine était sévère, en marge de la comédie. Vigilante.

Plus personne n'avait photographié ou vu en public don Mauricio Valls après cette soirée au cercle des Beaux-Arts. Malgré tous mes efforts, je ne trouvai plus la moindre apparition. Fatigué d'explorer des voies sans issue, je revins au début et mémorisai l'histoire du personnage comme si c'était la mienne. Je le suivis à la trace dans l'espérance de trouver une piste, un indice qui me permettraient de comprendre où était passé cet homme qui souriait sur les photographies et promenait sa vanité dans le nombre infini des pages illustrant sa carrière de courtisan servile et assoiffé de faveurs. Je cherchai celui qui avait assassiné ma mère pour cacher la honte que, de toute évidence, il avait éprouvée et qu'il ne pouvait accepter.

J'appris la haine, au cours de ces après-midi solitaires dans la vieille bibliothèque de l'Ateneo où, cela ne faisait pas si longtemps, je m'étais voué à des causes plus pures, comme la peau de mon premier amour impossible, Clara l'aveugle, ou les mystères de Julián Carax et de son roman, *L'Ombre du vent*. Plus la trace de Valls était difficile à trouver, plus je refusais de lui reconnaître le droit de disparaître et d'effacer son nom de l'histoire. De mon histoire. J'avais besoin de savoir ce qu'il était devenu. J'avais besoin de le regarder dans les yeux, ne fût-ce que pour lui rappeler qu'au moins une seule personne dans tout l'univers savait qui il était vraiment et ce qu'il avait fait.

8.

Une après-midi, las de poursuivre des fantômes, je mis fin à ma séance de lecture dans le département des périodiques et partis me promener avec Bea et Julián dans une Barcelone limpide et ensoleillée que j'avais presque oubliée. Nous marchâmes de la maison au parc de la Ciudadela. Je m'assis sur un banc et regardai Julián jouer avec sa mère sur la pelouse tout en me répétant les paroles de Fermín. Un homme heureux, voilà ce que j'étais, moi, Daniel Sempere. Un homme heureux qui avait permis à une rancœur aveugle de grossir en lui, jusqu'à lui donner la nausée de lui-même.

J'observai mon fils s'adonner à l'une de ses passions : marcher à quatre pattes le plus loin possible. Bea le suivait de près. De temps à autre, Julián s'arrêtait et regardait dans ma direction. Un coup de vent souleva la robe de Bea et Julián éclata de rire. J'applaudis et Bea me lança un coup d'œil réprobateur. Je cherchai les yeux de mon fils et songeai que, bientôt, ils commenceraient à me considérer comme l'homme le plus sage et le meilleur du monde, le porteur de toutes les réponses. Je me dis alors que plus jamais je ne mentionnerais le nom de Mauricio Valls, plus jamais je ne poursuivrais son ombre.

Bea vint s'asseoir près de moi. Julián, toujours à quatre pattes, la suivit jusqu'au banc. Quand il arriva à mes pieds, je le pris dans mes bras et essuyai ses mains sur les revers de ma veste.

271

— Elle sort tout juste de la teinturerie ! protesta Bea.

Je haussai les épaules, résigné. Bea se pencha vers moi et me prit la main.

— Tu as de bien jolies jambes, dis-je.

— Je ne trouve pas ça drôle. Bientôt ton fils suivra ton exemple. Encore une chance qu'il n'y ait eu personne.

— Mais si, il y avait un petit vieux caché derrière un journal qui s'est écroulé, victime d'une crise de tachycardie.

Julián décida que le mot « tachycardie » était le plus amusant qu'il avait entendu de sa vie et nous passâmes une bonne partie du trajet de retour à chanter « ta-chy-car-die » tandis que Bea, à quelques pas devant nous, ne décolérait pas.

Ce soir-là, le 20 janvier, Bea coucha Julián, et elle s'endormit près de moi sur le canapé, pendant que je lisais pour la troisième fois un des vieux romans de David Martín que Fermín avait dégotté dans ses mois d'exil après son évasion et qu'il avait conservé durant toutes ces années. J'aimais savourer chaque détour et détailler l'architecture de chaque phrase, croyant que si je déchiffrais la musique de cette prose je découvrirais quelque chose de cet homme que je n'avais jamais connu et dont tous m'assuraient qu'il n'était pas mon père. Mais cette nuit, j'en étais incapable. Avant même que je termine une phrase, mon esprit abandonnait la page, et devant moi dansait cette lettre sirupeuse de Pablo Cascos Buendía qui donnait rendez-vous à ma femme à l'hôtel Ritz le lendemain à deux heures de l'après-midi.

Finalement, je fermai le livre et contemplai Bea endormie près de moi, la soupçonnant de receler mille fois plus de secrets que les histoires de Martín et sa sinistre ville des Maudits. Il était plus de minuit quand elle ouvrit les yeux et me découvrit en train de la scruter. Elle me sourit, pourtant quelque chose sur mon visage éveilla sur le sien une ombre d'inquiétude.

— À quoi penses-tu ? demanda-t-elle.

— Je pensais que je suis un homme heureux.

Bea me dévisagea longuement d'un air de doute.

— Tu le dis comme si tu n'y croyais pas.

Je me levai et lui tendis la main.

— Allons nous coucher, l'invitai-je.

Elle prit ma main et me suivit dans le couloir jusqu'à notre chambre. Je m'allongeai sur le lit et l'observai en silence.

— Tu es bizarre, Daniel. Qu'est-ce que tu as ? J'ai dit quelque chose ?

Je fis non en lui offrant un sourire franc comme le mensonge. Bea se déshabilla lentement. Elle ne me tournait jamais le dos en se déshabillant, ni ne se cachait dans le cabinet de toilette ou derrière la porte, comme le conseillaient les manuels d'hygiène matrimoniale prônés par le régime. Je la détaillai sereinement, lisant les lignes de son corps. Bea ne me lâchai pas des yeux. Elle enfila cette chemise de nuit que je détestais et se mit au lit en me tournant le dos.

— Bonne nuit, dit-elle d'une voix neutre et, pour qui la connaissait bien, contrariée.

— Bonne nuit, murmurai-je.

En l'écoutant respirer, je sus qu'elle tarda plus d'une demi-heure à trouver le sommeil. Finalement la fatigue l'emporta sur mon étrange comportement. Je demeurai près d'elle, me demandant si je devais la réveiller pour lui demander pardon ou, simplement, l'embrasser. Je ne fis rien. Je restai là, immobile, admirant la courbe de son dos et sentant toute cette noirceur que j'avais en moi me chuchoter que, dans quelques heures, Bea irait à ce rendez-vous avec son ancien fiancé et que ces lèvres, cette peau, seraient à un autre, comme la lettre paraissait l'insinuer.

À mon réveil, Bea était déjà partie. Je n'avais pas réussi à m'endormir avant le petit matin et, quand neuf heures sonnèrent aux cloches de l'église, j'émergeai d'un coup de mon sommeil pour m'habiller avec les premiers vêtements qui me tombèrent sous la main. Dehors m'attendait un lundi glacial saupoudré de flocons de neige qui flottaient dans l'air et adhéraient aux passants telles des araignées de lumière suspendues à des fils invisibles. En entrant dans la boutique, je trouvai mon père juché sur le tabouret dont il usait tous les jours pour changer la date du calendrier. 21 janvier.

— Tu n'as plus douze ans pour rester ainsi à faire la grasse matinée ! me lança-t-il. Aujourd'hui, c'était à toi d'ouvrir.

— Excuse-moi. Mauvaise nuit. Ça ne se reproduira pas.

Je passai deux heures à occuper mon esprit et mes mains aux tâches de la librairie, mais la seule chose qui envahissait réellement mes pensées était cette maudite lettre que je me récitais sans arrêt en silence. À la mi-journée, Fermín s'approcha subrepticement et m'offrit un Sugus.

— C'est le jour, non ?

— Taisez-vous, Fermín, le coupai-je avec une brusquerie qui fit hausser les sourcils à mon père.

Je me réfugiai dans l'arrière-boutique et les entendis chuchoter. Je m'assis devant le bureau de mon père. Il était une heure vingt de l'après-midi. J'essayai de laisser passer les minutes, mais les aiguilles tardaient à se déplacer. Quand je revins dans la boutique, Fermín et mon père me dévisagèrent d'un air soucieux.

— Daniel, tu veux peut-être prendre le reste de la journée pour toi, dit mon père. Nous nous sommes mis d'accord, Fermín et moi.

— Merci. Je crois que oui. Je n'ai presque pas dormi et je ne me sens pas très bien.

Je n'eus pas le courage de regarder Fermín tandis que je m'éclipsais. Je montai les cinq étages, les pieds comme du plomb. En ouvrant la porte de l'appartement, j'entendis de l'eau couler dans le cabinet de toilette. Je me traînai jusqu'à la chambre et m'arrêtai sur le seuil. Bea était assise sur le bord du lit. Elle ne m'avait pas vu ni entendu entrer. Je la vis enfiler ses bas de soie et s'habiller, les yeux rivés sur le miroir. Elle ne s'aperçut de ma présence qu'au bout de deux minutes.

— Je ne savais pas que tu étais là, dit-elle, entre surprise et irritation.

— Tu sors?

Elle confirma, tout en se mettant du rouge à lèvres.

— Où vas-tu?

— J'ai deux ou trois courses à faire.

— Tu t'es mise sur ton trente et un.

— Je n'aime pas me promener dans la rue vêtue comme un épouvantail.

Je l'observai qui se passait du noir sous les yeux. « Un homme heureux », soufflait ironiquement la voix.

— Quelles courses? demandai-je.

Bea se tourna vers moi.

— Comment?

— Je te demandais quelles courses tu dois faire.

— Plusieurs choses.

— Et Julián?

— Ma mère est venue le chercher et l'a emmené en promenade.

— Ah bon.

Inquiète Bea s'approcha, laissant de côté son irritation.

— Daniel, qu'est-ce que tu as?

— Je n'ai pas fermé l'œil de la nuit.

— Pourquoi ne fais-tu pas une sieste? Ça te requinquerait.

J'acquiesçai.

— Bonne idée.

Bea sourit faiblement et m'accompagna jusqu'au lit. Elle m'aida à m'étendre, tira le couvre-lit sur moi et m'embrassa sur le front.

— Je reviendrai tard, dit-elle.

Je la vis partir.

— Bea...

Elle s'arrêta dans le couloir.

— Tu m'aimes ? demandai-je.

— Bien sûr que je t'aime. Quelle bêtise !

J'entendis la porte se refermer, puis les pas félins de Bea et ses talons aiguilles se perdre dans l'escalier. Je pris le téléphone et attendis la voix de l'opératrice.

— L'hôtel Ritz, s'il vous plaît.

L'attente dura quelques secondes.

— Hôtel Ritz à votre service, bonjour.

— S'il vous plaît, je voudrais vérifier la présence de quelqu'un dans votre hôtel.

— Si vous voulez bien être assez aimable pour me donner son nom.

— Cascos. Pablo Cascos Buendía. Je crois qu'il a dû arriver hier...

— Une minute, je vous prie.

Une longue minute d'attente, des voix qui chuchotaient, des échos sur la ligne.

— Monsieur...

— Oui.

— Nous ne trouvons aucune réservation au nom que vous nous avez donné...

Un soulagement infini m'envahit.

— Serait-il possible que la réservation soit au nom d'une société ?

— Je vérifie.

Cette fois, l'attente fut brève.

— En effet, vous avez raison. J'ai trouvé : M. Cascos Buendía. Suite Continental. La réservation est au nom des éditions Ariadna.

— Comment dites-vous ?

— La réservation de M. Cascos Buendía a été faite au nom des éditions Ariadna. Désirez-vous que je vous passe sa chambre ?

Le téléphone me glissa des mains. Ariadna était la maison d'édition fondée par Mauricio Valls des années plus tôt.

Cascos travaillait pour Valls.

Je raccrochai d'un coup et me précipitai dans la rue à la poursuite de ma femme, le venin du soupçon dans le cœur.

9.

Je ne vis pas trace de Bea parmi la foule qui, à cette heure, passait par la porte de l'Ange en direction de la Plaza de Cataluña. Je pensais que c'était le chemin choisi par ma femme pour se rendre au Ritz, néanmoins avec Bea on ne savait jamais. Elle aimait essayer différents parcours entre deux destinations. Je finis par renoncer à la trouver et supposai qu'elle avait pris un taxi, ce qui s'accordait mieux avec la mise élégante qu'elle avait revêtue pour l'occasion.

Il me fallut un quart d'heure pour arriver à l'hôtel Ritz. Bien que la température ne dépasse pas les dix degrés, j'étais en sueur et hors d'haleine. Le portier m'ouvrit la porte d'un air sournois tout en affectant de me faire une petite révérence. Le hall, avec son décor pour scènes d'espionnage et de romance sentimentale, me décontenança. Mon expérience plus que succincte en matière d'hôtels de luxe ne m'avait pas préparé à m'y orienter. J'avisai un comptoir derrière lequel un élégant réceptionniste m'observait, mi-curieux, mi-inquiet. J'allai vers lui et lui offris un sourire qui ne l'impressionna nullement.

— Le restaurant, je vous prie ?

Le réceptionniste m'examina avec un scepticisme poli.

— Vous avez réservé ?

— J'ai rendez-vous avec un client de l'hôtel.

Le réceptionniste sourit froidement et acquiesça.

— Vous trouverez le restaurant au fond du couloir.

— Mille mercis.

Je m'y dirigeai, le cœur battant. Je n'avais aucune idée de la manière dont j'allais me comporter quand je me trouverais face à Bea et à cet individu. Un maître d'hôtel s'avança à ma rencontre et me barra le passage avec un sourire blindé. Son expression trahissait son peu d'approbation pour ma tenue.

— Monsieur a réservé ? questionna-t-il.

Je l'écartai de la main et entrai dans la salle à manger. La plupart des tables étaient vides. Un couple âgé, l'aspect momifié, avec des manières du siècle passé, interrompit l'absorption solennelle de sa soupe pour me dévisager d'un air dégoûté. Deux tables étaient occupées par des clients à l'allure d'hommes d'affaires et une autre encore par une dame charmante dont la compagnie devait sûrement figurer sur une note de frais. Il n'y avait pas trace de Cascos ni de Bea.

J'entendis derrière moi les pas du maître d'hôtel escorté de deux serveurs. Je me retournai et leur adressai un sourire docile.

— Est-ce que M. Cascos Buendía n'avait pas réservé une table pour deux ?

— Ce monsieur a demandé qu'on lui monte son repas dans sa chambre, m'informa le maître d'hôtel.

Je consultai ma montre. Il était deux heures vingt. Je me dirigeai vers le couloir des ascenseurs. Un des portiers qui m'avait tenu à l'œil tenta de me rejoindre, mais je m'étais déjà glissé dans une cabine. Au moment d'appuyer sur le bouton d'un étage, je me rappelai que je n'avais aucune idée de celui où se trouvait la suite Continental.

Commençons par le haut, songeai-je.

Je sortis de l'ascenseur au septième étage et errai par des couloirs déserts au style pompeux. Au bout, je trouvai une porte qui donnait sur l'escalier de secours, et je descendis à l'étage inférieur. J'allai de porte en porte, cherchant en vain la suite Continental. Ma montre marquait deux heures et demie. Au cinquième étage, je rencontrai une femme de ménage qui traînait un chariot chargé de plumeaux, de savons et de serviettes, et lui demandai où était la suite. Elle me regarda avec consternation, néanmoins je dus lui faire suffisamment peur pour qu'elle désigne le haut de l'hôtel.

— C'est au huitième étage.

Je préférai éviter les ascenseurs, au cas où le personnel serait à ma recherche. Trois étages d'escalier et un long couloir plus tard, j'arrivai devant la suite Continental, inondé de sueur. Je demeurai là une minute, tentant d'imaginer ce qui se passait derrière cette porte en bois précieux, et ne sachant s'il me restait assez de bon sens pour ne pas aller plus loin. J'eus l'impression que quelqu'un m'observait subrepticement de l'autre bout du couloir et craignis que ce soit un des portiers, pourtant, tandis que je m'efforçais de mieux voir, la silhouette disparut derrière le coin et je supposai qu'il s'agissait d'un client. Finalement, j'appuyai sur la sonnette.

10.

J'entendis des pas approcher. L'image de Bea reboutonnant sa blouse s'insinua dans mon esprit. Un bruit de serrure. Je serrai les poings. La porte s'ouvrit. Un individu aux cheveux gominés, drapé dans un peignoir blanc et chaussé de pantoufles cinq étoiles, m'ouvrit. Les années ont beau passer, on n'oublie pas les visages que l'on déteste aussi cordialement.

— Sempere? s'exclama-t-il, incrédule.

Le coup l'atteignit entre la lèvre supérieure et le nez. Je sentis la peau et le cartilage s'écraser sous mon poing. Cascos porta les mains à sa figure et chancela. Du sang coulait entre ses doigts. Je lui donnai une violente poussée qui l'expédia contre le mur, et j'entrai dans la chambre. J'entendis derrière moi Cascos tomber par terre. Le lit était fait et un plat fumant était posé sur la table, orientée vers la terrasse avec vue sur la Gran Vía. Il n'y avait de couverts que pour un convive. Je me retournai et fis face à Cascos, qui tentait de se relever en agrippant une chaise.

— Où est-elle? demandai-je.

Cascos avait les traits déformés par la douleur. Le sang coulait sur son visage et sa poitrine. Je lui avais fendu la lèvre et il avait très probablement le nez cassé. Mes phalanges me brûlaient très fort et, en regardant ma main, je m'aperçus que je me les étais écorchées en lui cassant la figure. Je n'en éprouvai aucun remords.

— Elle n'est pas venue. Tu es content? cracha Cascos.

— Depuis quand ça te prend d'écrire des lettres à ma femme ?

Il me sembla qu'il riait et, sans lui laisser le temps de répondre, je me jetai de nouveau sur lui. Je lui lançai un second coup de poing avec toute la rage que je portais en moi. Le coup l'atteignit aux dents, et je ne sentis plus ma main. Cascos émit un gémissement d'agonie avant de s'effondrer sur la chaise sur laquelle il s'était appuyé. Alors que je me penchais sur lui, il se couvrit le visage de ses bras. Je lui plantai les mains dans le cou et serrai les doigts comme si je voulais lui déchirer la gorge.

— Qu'est-ce que tu fabriques avec Valls ?

Il m'observait, terrorisé, convaincu que j'allais le tuer sur place. Il balbutia quelque chose d'incompréhensible, et mes mains se couvrirent de la salive et du sang qui coulaient de sa bouche. Je serrai plus fort.

— Mauricio Valls. Qu'est-ce que tu fabriques avec lui ?

Mon visage était si près du sien que je pouvais voir mon reflet dans ses yeux. Ses veines capillaires commençaient à éclater sous la cornée, et un réseau de lignes noires s'ouvrit sous l'iris. Je me rendis compte que j'étais en train de le tuer et le lâchai brusquement. Cascos émit un son guttural en aspirant de l'air, et porta les mains à son cou. Je m'assis sur le lit face à lui. Mes mains tremblaient, elles étaient couvertes de sang. J'entrai dans la salle de bains et me les lavai. Je me passai de l'eau froide sur la figure et les cheveux et, en voyant mon visage dans la glace, j'eus du mal à croire que c'était le mien. J'avais failli tuer un homme.

11.

Lorsque je revins dans la chambre, Cascos était toujours effondré sur la chaise et respirait avec difficulté. Je remplis un verre d'eau et le lui tendis. En me voyant approcher de nouveau, il se détourna en s'attendant à un nouveau coup.

— Bois, dis-je.

Il ouvrit les yeux et, devant le verre, hésita quelques secondes.

— Bois, répétai-je. C'est juste de l'eau.

Il accepta le verre d'une main tremblante et le porta à ses lèvres. Je pus alors constater que je lui avais cassé plusieurs dents. Il gémit et ses yeux se remplirent de larmes de douleur quand l'eau froide toucha la pulpe à vif sous l'émail. Le silence régna pendant plus d'une minute.

— J'appelle un médecin?

Il leva les yeux et fit non.

— Fous le camp avant que j'informe la police.

— Dis-moi ce que tu fabriques avec Mauricio Valls et je m'en irai.

Je le regardai froidement.

— Il est... il est un des associés de la maison d'édition où je travaille.

— C'est lui qui t'a suggéré d'écrire cette lettre?

Cascos hésita. Je fis un pas vers lui. Je l'attrapai par les cheveux et tirai violemment.

— Ne me frappe plus, supplia-t-il.

— C'est Valls qui t'a suggéré d'écrire cette lettre?

Cascos évitait de me regarder en face.

— Non, ce n'est pas lui, parvint-il à murmurer.

— Qui donc, alors?

— Un de ses secrétaires. Armero.

— Qui?

— Paco Armero. Un employé des éditions. Il m'a dit de reprendre contact avec Beatriz. Que si je le faisais, il y aurait quelque chose pour moi. Une récompense.

— Pourquoi devais-tu reprendre contact avec Bea?

— Je ne sais pas.

Je fis mine de le frapper de nouveau.

— Je ne sais pas, gémit Cascos. C'est la vérité.

— Et pourquoi lui as-tu donné rendez-vous ici?

— J'aime toujours Beatriz.

— Belle preuve d'amour. Où est Valls?

— Je ne sais pas.

— Comment peux-tu ne pas savoir où est ton chef?

— Parce que je ne le connais pas. D'accord? Je ne l'ai jamais vu. Je ne lui ai jamais parlé.

— Explique-toi.

— J'ai été embauché chez Ariadna il y a un an et demi, au bureau de Madrid. Pendant tout ce temps, je ne l'ai jamais croisé. Personne ne l'a jamais rencontré.

Il se leva lentement et se dirigea vers le téléphone de la chambre. Je ne l'arrêtai pas. Il prit le combiné et me lança un regard de haine.

— Je vais appeler la police...

— Ça ne sera pas nécessaire, fit une voix provenant du couloir.

Je me retournai pour découvrir Fermín, vêtu de ce que j'imaginai être un costume de mon père et brandissant un document qui avait l'aspect d'une carte officielle.

— Inspecteur Fermín Romero de Torres. Police. On m'a prévenu qu'il y avait de la bagarre. Lequel de vous deux peut me rapporter les faits subséquents?

Je ne sais lequel, de Cascos ou de moi, était le plus

déconcerté. Fermín en profita pour prendre en douceur l'appareil des mains de Cascos.

— Permettez, dit-il en l'écartant. J'avise la préfecture.

Il fit semblant de composer un numéro et nous sourit.

— La préfecture, s'il vous plaît. Oui, merci.

Il attendit quelques secondes.

— Oui, Mari Pilí, c'est moi, Romero de Torres. Passe-moi Palacios. Oui, j'attends.

Tandis que Fermín feignait de patienter et couvrait le combiné de sa main, il fit un geste en direction de Cascos.

— Vous, là, vous vous êtes cogné contre la porte des waters, ou vous avez quelque chose à déclarer ?

— Ce sauvage m'a agressé et a tenté de me tuer. Je veux porter plainte tout de suite. Il va le sentir passer.

Fermín me regarda d'un air officiel et approuva.

— Comptez sur nous. On va pas lui laisser un poil de sec.

Il fit semblant d'écouter quelque chose au téléphone et, d'un geste, signifia à Cascos de garder le silence.

— Oui, Palacios. Au Ritz. Oui. Envoie-moi un 424. Un blessé. Principalement à la figure. Ça dépend. Je dirais comme une citrouille. D'accord. Je procède à l'arrestation immédiate du suspect.

Il raccrocha.

— Tout est réglé.

Fermín vint vers moi et, me prenant par le bras avec autorité, me fit signe de me taire.

— Pas un mot. Tout ce que vous direz sera utilisé pour vous coffrer au minimum jusqu'à la saint-glinglin. Allons, en route.

Cascos, se tordant de douleur et encore stupéfait de l'apparition de Fermín, contemplait la scène sans parvenir à y croire.

— Vous ne lui passez pas les menottes ?

— On est dans un hôtel chic. Les menottes, on les lui mettra dans la voiture de patrouille.

Cascos, qui continuait à saigner et voyait probablement double, nous barra le passage, peu convaincu.

— C'est sûr que vous êtes de la police ?

— Brigade secrète. Je vous fais tout de suite monter une escalope de veau crue pour que vous vous la mettiez sur la figure comme un masque. Remède infaillible pour les contusions à bout portant. Mes collègues passeront plus tard pour prendre votre déposition et établir les délits afférents, débita-t-il en écartant du bras Cascos et en me poussant à toute vitesse vers la sortie.

12.

Nous prîmes un taxi à la porte de l'hôtel et parcourûmes la Gran Vía en silence.

— Jésus, Marie, Joseph ! explosa Fermín. Vous êtes devenu fou ? Je ne vous reconnais pas... Qu'est-ce que vous vouliez ? Trucider cet imbécile ?

— Il travaille pour Mauricio Valls.

Fermín leva les yeux au ciel.

— Daniel, cette obsession est en train de tourner à la folie. Quelle mauvaise idée j'ai eue de tout vous raconter... Vous allez bien ? Voyons cette main...

Je lui montrai mon poing.

— Sainte Vierge !

— Comment avez-vous su... ?

— C'est que je vous connais comme si je vous avais fait. Bien qu'il y ait des jours où je m'en repens ! s'écria-t-il, furibond.

— Je ne sais pas ce qui m'a pris...

— Moi si, je sais. Et ça ne me plaît pas. Ça ne me plaît pas du tout. Vous n'êtes pas le Daniel que je connais. Ni le Daniel dont je veux être l'ami.

Ma main me faisait souffrir, mais j'eus encore plus mal en comprenant que j'avais déçu Fermín.

— Fermín, ne soyez pas fâché contre moi.

— Parce que en plus le petit garçon voudrait une médaille ?

Nous laissâmes passer un temps de silence, chacun regardant la rue de son côté.

— C'est une chance que vous soyez venu, murmurai-je enfin.

— Vous croyiez peut-être que j'allais vous laisser seul ?

— Vous ne préviendrez pas Bea, n'est-ce pas ?

— Si vous voulez, je peux aussi écrire une lettre au directeur de *La Vanguardia* pour lui vanter votre fait d'armes.

— Je ne sais pas ce qui m'est passé par la tête, je ne sais pas...

Il me contempla avec sévérité, puis finalement son expression s'adoucit et il me donna une tape sur la main. Je ravalai ma douleur.

— N'en parlons plus. Je suppose que j'aurais fait la même chose.

Je contemplai Barcelone à travers les vitres.

— La carte, qu'est-ce que c'était ?

— Pardon ?

— La carte de policier que vous avez exhibée... c'était quoi ?

— La carte du Barça du curé.

— Vous aviez raison, Fermín. J'ai été un imbécile de soupçonner Bea.

— J'ai toujours raison. C'est de naissance.

Je me rendis à l'évidence et me tus, parce que j'avais proféré suffisamment de bêtises pour la journée. Fermín ne parlait pas non plus et paraissait méditer. Je m'alarmai à l'idée que ma conduite lui avait produit une telle déception qu'il ne savait que me dire.

— Fermín, à quoi pensez-vous ?

Il se tourna vers moi d'un air soucieux.

— Je pensais à cet homme.

— À Cascos ?

— Non. À Valls. À ce que cet idiot vous a raconté tout à l'heure. À ce que ça signifie.

— Que voulez-vous dire ?

290

Fermín m'examina, la mine sombre.

— Que ce qui m'inquiétait jusqu'à maintenant, c'était que vous vouliez trouver Valls.

— Et maintenant?

— Maintenant, quelque chose m'inquiète encore plus, Daniel.

— Quoi?

— C'est lui qui vous cherche.

Nous nous dévisageâmes en silence.

— Qu'est-ce qui vous fait penser ça?

Fermín hocha lentement la tête et détourna les yeux.

Nous fîmes le reste du trajet sans parler. En arrivant à la maison, je montai directement à l'appartement, pris une douche et avalai quatre aspirines. Puis je baissai les persiennes et, serrant dans les bras la couverture qui portait l'odeur de Bea, je m'endormis comme un idiot que j'étais, en me demandant où pouvait bien être cette femme pour qui je n'avais pas eu honte de jouer le rôle de l'homme le plus ridicule du siècle.

13.

— Je ressemble à un porc-épic, déclara Bernarda en contemplant son image multipliée par cent dans la salle des miroirs de Modas Santa Eulalia.

Des modistes agenouillées à ses pieds continuaient de marquer la robe de mariée avec des douzaines d'épingles sous le regard attentif de Bea qui inspectait chaque pli et chaque couture comme si sa vie en dépendait. Bernarda, les bras en croix, osait à peine respirer, mais, en quête d'indices dénonçant le volume de son ventre, elle restait rivée sur tous les angles de la pièce hexagonale revêtue de glaces qui lui renvoyaient sa silhouette.

— Vous êtes sûre qu'on ne voit rien, madame Bea?

— Rien. Vous êtes plate comme une planche à repasser. Là où il faut, bien sûr.

— Ah, je ne sais pas, je ne sais pas...

Le martyre de Bernarda et l'affairement des modistes qui ajustaient et coupaient se prolongèrent encore une demi-heure. Au moment où il ne restait apparemment plus une seule épingle au monde à planter sur la pauvre Bernarda, le modéliste étoile de la maison et auteur de la robe fit acte de présence en écartant le rideau. Après une analyse sommaire et quelques modifications dans la moirure du tissu, il donna son approbation et claqua des doigts pour signifier à ses assistantes de faire silence dans les rangs.

— Même Pertegaz ne l'aurait pas faite plus belle, décida-t-il, satisfait.

Bea sourit et approuva.

Le modéliste, un homme svelte aux manières précieuses et aux poses forcées qui répondait simplement au nom d'Evaristo, embrassa Bernarda sur la joue.

— Vous êtes la meilleure modèle du monde. La plus patiente et la plus endurante. C'était difficile, mais ça en valait la peine.

— Et vous croyez, jeune homme, que je pourrai respirer là-dedans?

— Mon chou, vous vous mariez au sein de notre sainte mère l'Église avec un mâle ibérique. Pas question de respirer, je vous assure. Une robe de mariée est comme un scaphandre : ce n'est pas le meilleur endroit pour respirer, l'agrément vient quand on la quitte.

Bernarda se signa en entendant les commentaires du modéliste.

— Maintenant, poursuivit Evaristo, je vais vous demander d'ôter la robe avec beaucoup de précautions, parce que les coutures ne sont pas encore faites et, avec toutes ces épingles, je ne veux pas vous voir monter à l'autel transformée en écumoire.

— Je vais l'aider, proposa Bea.

Evaristo, lançant une œillade suggestive à Bea, la radiographia de la tête aux pieds.

— Et vous, mon cœur, aurai-je un jour le bonheur de vous déshabiller et de vous habiller? lança-t-il en faisant une sortie théâtrale derrière le rideau.

— Quel regard il vous a jeté, le brigand! dit Bernarda. Et après ça, il y en a pour raconter qu'il est du trottoir d'en face!

— J'ai l'impression qu'Evaristo marche sur tous les trottoirs, Bernarda.

— C'est-y possible?

— Allons, voyons si on peut vous sortir de là sans faire tomber une épingle.

Tandis que Bea libérait Bernarda de son carcan, celle-ci ronchonnait tout bas. Depuis qu'elle avait appris le coût de cette robe, que son patron, M. Gustavo, avait absolument voulu payer de sa poche, elle était épouvantée.

— M. Gustavo n'avait pas à dépenser une telle fortune. Il a exigé qu'elle soit faite ici, probablement l'endroit le plus cher de tout Barcelone, en engageant cet Evaristo qui doit être une espèce de cousin à lui ou je ne sais quoi d'autre et qui dit que si un tissu ne vient pas de la Casa Gratacós, ça lui donne de l'allergie. Ça n'a pas de bon sens.

— À cheval donné... Et puis ça fait plaisir à M. Gustavo que vous ayez le plus beau mariage possible. Il est ainsi.

— Moi, la robe de ma mère avec quelques arrangements m'aurait bien suffi, et pour Fermín c'est pareil, vu que chaque fois que je mets une nouvelle robe, il n'a qu'une idée, c'est de me l'enlever... Et puis avec celle-là on voit tout, Dieu me pardonne ! s'écria Bernarda en posant une main sur son ventre.

— Bernarda, moi aussi je me suis mariée enceinte, et je suis sûre que Dieu a des choses plus urgentes à faire que de s'en soucier.

— C'est ce que dit Fermín, mais moi, je ne sais pas...

— Faites confiance à Fermín et ne vous inquiétez de rien.

Bernarda, en combinaison, exténuée par deux heures passées debout sur des chaussures à talons, les bras en l'air, se laissa choir dans un fauteuil en soupirant.

— Ah, c'est que le pauvre est dans un état... Si vous saviez les kilos qu'il a perdus. Il m'inquiète énormément.

— Vous allez voir comment, à partir de maintenant, il va remonter la pente. Les hommes sont ainsi, comme les géraniums. On croit qu'ils ne sont plus bons qu'à jeter, et puis ils revivent.

— Je ne sais pas, madame Bea. Moi, Fermín, je le vois complètement perdu. Il me jure qu'il veut se marier, mais souvent j'ai des doutes.

— Il vous aime, Bernarda.

Bernarda haussa les épaules.

— Vous savez, je ne suis pas aussi bête que j'en ai l'air. Moi, tout ce que j'ai fait depuis mes treize ans, c'est femme de ménage, et il y a beaucoup de choses que je ne comprends pas, mais je sais bien que mon Fermín, il a vu le monde et il a eu plein d'aventures. Il ne me raconte jamais sa vie d'avant notre rencontre, pourtant je me doute qu'il a eu d'autres femmes et qu'il a roulé sa bosse.

— Et il a quand même fini par vous choisir entre toutes.

— Oui, seulement, avec les filles, il est comme un ours devant un pot de miel. Quand on va se promener ou danser, ses yeux partent dans tous les sens, même qu'un de ces jours il va me rester bigle.

— Tant que ce ne sont pas ses mains... Je suis bien placée pour savoir qu'il vous a toujours été fidèle.

— C'est vrai. Pourtant vous savez ce qui me fait peur, madame Bea ? C'est de ne pas être assez bien pour lui. Quand je le vois qui me regarde tout plein d'admiration en me disant qu'il veut que nous vieillissions ensemble et toutes ces cajoleries qu'il me débite, je pense toujours qu'un matin il se réveillera et pensera : « Mais d'où j'ai pu sortir cette idiote ? »

— Je suis sûre que vous vous trompez, Bernarda. Fermín ne pensera jamais ça. Il vous met sur un piédestal.

— Eh bien, vous voyez, ça non plus ce n'est pas bien, parce que j'en ai vu beaucoup, moi, des hommes qui mettent leur femme sur un piédestal comme si c'était une madone, et ensuite ils vont courir derrière la première femelle qui passe comme des chiens en chaleur. Si je vous disais le nombre de fois que j'en ai vu, de ceux-là, avec les yeux que le bon Dieu m'a donnés, vous me croiriez pas.

— Fermín n'est pas ainsi, Bernarda. Fermín fait partie des bons. C'est sûr, ils ne sont pas nombreux. Les hommes sont comme les marrons qu'on vous vend dans la rue : quand on les achète, ils sont tout brûlants et ils sentent bon, puis dès qu'on les sort de leur écorce ils refroidissent

296

tout de suite et on s'aperçoit qu'ils sont presque tous gâtés à l'intérieur.

— Vous pensez pas ça de M. Daniel, pas vrai?

Bea tarda une seconde à répondre.

— Non. Bien sûr que non.

— Tout va bien chez vous, madame Bea?

Bea joua un instant avec un pli de la combinaison sur l'épaule de Bernarda.

— Oui, Bernarda. Mais je crois que, toutes les deux, nous sommes allées nous chercher des maris qui gardent certains secrets pour eux.

Bernarda acquiesça.

— C'est sûr que, parfois, ils se conduisent comme des gamins.

— Ce sont des hommes. Il faut s'y faire.

— Mais moi, je les aime, les hommes! s'exclama Bernarda. Même si je sais que c'est un péché.

Bea rit.

— Et vous les aimez comment, les hommes? Comme Evaristo?

— Oh non, mon Dieu! Celui-là, à force de se regarder dans la glace, il ne va plus rien en rester. Un homme qui prend plus de temps que moi pour s'attifer, ça n'est pas mon genre. Moi, je les aime un peu bruts. Et je sais que mon beau Fermín, beau il l'est pas vraiment, mais enfin je le vois comme ça. Je le vois beau et bon. Et un vrai homme. Et finalement, c'est ça qui compte : qu'il soit bon, et qu'il le soit pour de vrai. Et qu'on puisse se serrer contre lui les nuits d'hiver pour qu'il vous ôte le froid du corps.

Bea approuvait en souriant.

— Amen. Bien que mon petit doigt me souffle que votre genre à vous, ce serait plutôt Cary Grant.

Bernarda rougit.

— Et vous pas? Pas pour l'épouser, bien sûr, vu que, si vous voulez mon avis, c'en est encore un qui a eu le coup de foudre la première fois qu'il s'est vu dans la glace, mais, de vous à moi et que Dieu me pardonne, si j'en avais un jour l'occasion, je ne cracherais pas dessus...

— Que dirait Fermín s'il vous entendait, Bernarda ?

— Ce qu'il dit toujours : « Puisqu'on finira tous bouffés par les vers... »

Le nom du héros

1.

Bien des années plus tard, les vingt-trois invités réunis pour la cérémonie devaient, en remontant le temps, se souvenir de cette soirée historique au cours de laquelle Fermín Romero de Torres enterra sa vie de garçon.

— C'est la fin d'une ère, proclama le professeur Alburquerque en levant son verre pour porter un toast et résumer mieux que personne ce que nous ressentions tous.

Les adieux de Fermín à son existence de célibataire, un événement dont M. Gustavo Barceló compara les effets sur la population féminine du globe à la mort de Rudolf Valentino, eurent lieu par une nuit claire de février 1958 dans la grande salle de bal de La Paloma, une scène sur laquelle le futur marié avait dansé des tangos à donner des infarctus et passé des moments destinés à figurer désormais au nombre des exploits secrets d'une longue carrière au service de l'éternel féminin.

Mon père, que pour une fois dans sa vie nous avions réussi à faire sortir de chez lui, s'était assuré les services de l'orchestre de danse La Habana del Baix Llobregat, qui avait accepté de jouer à un prix défiant toute concurrence. Il nous gratifia d'un choix de mambos, guarachas et autres musiques cubaines qui ramenèrent le futur marié aux jours lointains vécus dans le monde international de l'intrigue et du *glamour* des grands casinos de sa Havane

perdue. Chacun dans la mesure de ses moyens, les partici-
pants à la fête firent fi de toute pudeur et se lancèrent sur
la piste, où ils agitèrent leur anatomie pour la plus grande
gloire de Fermín.

Barceló avait convaincu mon père que les verres de
vodka qu'il lui prodiguait étaient de l'eau minérale addi-
tionnée de quelques gouttes de liqueur de Montserrat. Et,
au bout d'un moment, nous pûmes assister au spectacle
inédit de mon père dansant étroitement serré contre une
des connaissances de la Rocíito que celle-ci, véritable âme
de la fête, avait amenées pour égayer la soirée.

— Oh, mon Dieu! murmurai-je en contemplant mon
père qui se déhanchait et synchronisait ses coups de posté-
rieur à chaque premier temps du rythme avec ceux de cet
oiseau de nuit.

Barceló circulait parmi les invités en distribuant des
cigares et des petites images commémoratives qu'il avait
fait imprimer par un atelier spécialisé dans les souvenirs
de communions, baptêmes et enterrements. Sur un papier
élégant, on pouvait voir une caricature de Fermín costumé
en ange, les mains jointes comme pour prier, avec cette
légende :

Fermín Romero de Torres
19 ?? - 1958
Le grand séducteur s'en va
1958 - 19 ??
Le pater familias arrive

Fermín, pour la première fois depuis longtemps, était
heureux et serein. Une demi-heure avant le début de la
fête, je l'avais accompagné au Can Lluis, où le professeur

Alburquerque nous avait annoncé que, le matin même, il s'était rendu à l'état civil armé de tout le dossier de documents et de papiers confectionnés de main de maître par Oswaldo Darío de Mortenssen et son assistant Luisito.

— Mon cher Fermín, avait proclamé le professeur, je vous souhaite la bienvenue officielle dans le monde des vivants, et je vous remets, avec don Daniel Sempere et tous les amis du Can Lluis pour témoins, votre nouvelle et légitime carte d'identité.

Fermín, ému, avait examiné sa nouvelle carte.

— Comment êtes-vous parvenus à ce miracle ?

— Nous vous épargnerons les détails techniques. Ce qui compte, c'est que rien n'est impossible quand on a un véritable ami, prêt à tout risquer et à remuer ciel et terre pour que vous puissiez vous marier en toute légalité et mettre au monde de nouvelles créatures destinées à perpétuer la dynastie des Romero de Torres.

Fermín m'avait regardé avec des larmes dans les yeux avant de me serrer si fort dans ses bras que j'avais cru qu'il allait m'asphyxier. Je n'ai pas honte d'admettre que ce fut l'un des moments les plus heureux de ma vie.

2.

Une heure et demie s'était écoulée en musique, rythmes et danse à profusion quand je pris un moment pour respirer et allai au bar afin d'y chercher quelque chose qui ne contienne pas d'alcool, car je me sentais incapable d'ingérer une goutte de plus de la boisson officielle de la soirée, du rhum avec du citron. Le serveur me donna un verre d'eau fraîche et je m'adossai au bar pour contempler l'agitation. Je ne m'étais pas rendu compte que la Rocíito se tenait à l'autre extrémité. Une coupe de champagne à la main, elle observait, l'air mélancolique, la fête qu'elle avait organisée. D'après ce que m'avait confié Fermín, je calculai que la Rocíito devait frôler sa trente-cinquième année, cependant presque vingt ans de métier avaient laissé des traces et, même dans la lumière tamisée et multicolore, la reine de la rue Escudellers paraissait plus âgée.

Je m'approchai d'elle et lui souris.

— Rocíito, vous êtes plus belle que jamais, mentis-je.

Elle avait revêtu ses plus beaux atours et l'on reconnaissait le travail du meilleur salon de coiffure de la rue Conde del Asalto, néanmoins j'eus le sentiment que, ce soir-là, la Rocíito était plus triste que jamais.

— Vous allez bien, Rocíito ?

— Regardez-le, le pauvret, il n'a plus que la peau sur les os, et il a encore envie de danser.

Ses yeux étaient rivés sur Fermín, et je compris qu'elle le considérait toujours comme le champion qui l'avait sauvée d'un maquereau de bas étage et était probablement, après vingt ans passés dans la rue, le seul homme bien qu'elle eût jamais connu.

— Monsieur Daniel, je n'ai pas voulu en parler à Fermín, mais demain je n'assisterai pas au mariage.

— Qu'est-ce que vous dites, Rocíito? Fermín vous a réservé une place d'honneur...

La Rocíito baissa les yeux.

— Je sais, mais je ne peux pas y aller.

— Pourquoi? insistai-je, bien qu'imaginant la réponse.

— Ça me ferait beaucoup de peine, et je veux que M. Fermín soit heureux avec sa dame.

La Rocíito se mit à pleurer. Je la pris dans mes bras.

— Je l'ai toujours aimé, vous savez? Dès le jour où je l'ai connu. Je sais bien que je ne suis pas une femme pour lui, qu'il me voit comme... bon, comme la Rocíito.

— Fermín vous aime beaucoup, vous ne devez jamais l'oublier.

Elle s'écarta et, honteuse, essuya ses larmes. Elle me sourit et haussa les épaules.

— Pardonnez-moi, je suis idiote, et quand j'ai bu deux gouttes, je ne sais plus ce que je raconte.

— Ce n'est pas grave.

Je lui tendis un verre d'eau.

— Un jour vient où on se rend compte que la jeunesse est finie et que le train est passé, vous comprenez?

— Il y a toujours des trains. Toujours.

La Rocíito acquiesça.

— C'est pour ça que je n'irai pas au mariage, monsieur Daniel. Il y a quelques mois, j'ai fait la connaissance d'un monsieur de Reus. C'est un brave homme. Veuf. Un bon père de famille. Il est dans la ferraille, et chaque fois qu'il passe par Barcelone, il vient me voir. Il m'a proposé de l'épouser. Aucun de nous deux n'est dupe, vous savez. Vieillir seul, c'est dur, et je sais déjà que je n'ai plus le corps qu'il faut pour continuer dans la rue. Jaumet, le monsieur de Reus, m'a proposé de partir en voyage avec lui. Ses enfants ont quitté la maison et lui a travaillé toute sa vie. Il veut voir le monde avant de s'en aller et il m'a prié de l'accompagner. Comme sa femme, pas comme une n'importe quoi qu'on jette après. Le bateau part demain matin, et d'après Jaumet un capitaine de navire a l'autorité pour vous marier en haute mer. Sinon, nous chercherons un prêtre dans le premier port venu.

— Fermín est au courant?

Comme s'il nous avait entendus de loin, Fermín arrêta ses pas sur la piste de danse. Il tendit les bras vers la Rocíito et fit cette tête de quémandeur en mal de caresses qui lui avait tant réussi. La Rocíito rit, en protestant tout bas. Avant de rejoindre l'amour de sa vie sur la piste de danse pour un dernier boléro, elle se tourna vers moi :

— Veillez bien sur lui, Daniel. Parce que des Fermín, y en a pas deux.

L'orchestre avait cessé de jouer, et la piste s'ouvrit pour recevoir la Rocíito. Fermín lui prit les mains. Les lampes de La Paloma s'éteignirent lentement et, de l'ombre, surgit le faisceau d'un projecteur qui dessina un cercle de lumière vaporeuse aux pieds du couple. Les autres se rangèrent sur un côté. L'orchestre, doucement, attaqua les rythmes du boléro le plus triste jamais composé. Fermín entoura la taille de la Rocíito. Les yeux dans les yeux, loin du monde, les amants de cette Barcelone qui ne serait jamais plus dansèrent enlacés pour la dernière fois. Quand la musique s'évanouit, Fermín embrassa sa cavalière sur les lèvres. La Rocíito, le visage baigné de larmes, lui caressa la joue avant de s'éloigner lentement vers la sortie, sans un adieu.

3.

L'orchestre vint nous tirer de cet instant d'émotion avec une guaracha, et Oswaldo Darío de Mortenssen, qui à force d'écrire tant de lettres d'amour était devenu un encyclopédiste en matière de mélancolie, encouragea l'assistance à retourner sur la piste comme si de rien n'était. Fermín, un peu abattu, gagna le bar et s'assit sur un tabouret près de moi.

— Vous allez bien, Fermín ?

Il confirma faiblement.

— Je crois que ça me ferait du bien de prendre un peu l'air, Daniel.

— Attendez-moi ici, je vais chercher nos manteaux.

Nous marchions dans la rue Tallers en direction des Ramblas quand, à une cinquantaine de mètres devant nous, nous aperçûmes une silhouette à l'aspect familier qui avançait lentement.

— Daniel, est-ce que ce n'est pas votre père ?

— Lui-même. Rond comme un tonneau.

— C'est bien la dernière chose que je me serais attendu à voir en ce monde, dit Fermín.

— Et moi donc !

Nous pressâmes le pas pour le rejoindre. En nous voyant, mon père nous sourit, le regard vitreux.

— Quelle heure est-il ? demanda-t-il.

— Il est très tard.

— C'est bien ce qu'il me semblait. Ah, Fermín, quelle fête fabuleuse ! Et les filles ! Il y avait des culs à déclencher une guerre.

Levant les yeux au ciel, Fermín prit le bras de mon père et guida sa marche.

— Monsieur Sempere, je n'aurais jamais cru que j'en arriverais à vous dire ça, mais vous êtes dans un état d'intoxication éthylique. Mieux vaut que vous ne disiez rien dont vous pourriez ensuite vous repentir.

Mon père approuva, subitement honteux.

— C'est ce démon de Barceló, je ne sais pas ce qu'il m'a donné, et je n'ai pas l'habitude de boire...

— Ce n'est rien. Vous allez prendre du bicarbonate et, après, vous dormirez sur vos deux oreilles. Demain vous serez frais comme une rose et ça sera comme si rien ne s'était passé.

— Je crois que je vais vomir.

Debout entre Fermín et moi, le pauvre restitua tout ce qu'il avait ingurgité. Je tins fermement son front inondé de sueur froide et, quand il se sentit soulagé après avoir rendu tripes et boyaux, nous l'installâmes pour un moment sur les marches d'un porche.

— Respirez profondément et lentement, monsieur Sempere.

Mon père obéit, les yeux fermés. Fermín et moi échangeâmes un regard.

— Dites donc, vous ne devez pas vous marier bientôt ?

— Demain après-midi.

— Alors, toutes mes félicitations.

— Merci, monsieur Sempere. Vous sentez-vous le courage de marcher à petits pas jusque chez vous ?

Mon père fit signe que oui.

— Dans ce cas, allons-y. Vous avez tout rendu.

Le petit vent frais qui soufflait aida mon père à se réveiller. Quand, dix minutes plus tard, nous enfilâmes la rue Santa Ana, il avait repris ses esprits, et le pauvre était tout mortifié. Il n'avait probablement jamais été ivre de sa vie.

— S'il vous plaît, pas un mot à quiconque, nous implora-t-il.

Nous étions à une vingtaine de mètres de la librairie quand nous remarquâmes que quelqu'un était assis devant la porte de l'immeuble. Le grand réverbère de la Casa Jorba, au coin de la porte de l'Ange, dessinait la silhouette d'une jeune fille, une valise sur les genoux. En nous voyant, elle se leva.

— Nous avons de la compagnie, murmura Fermín.

Mon père l'aperçut. Je notai un changement étrange dans son expression, un calme, une tension qui s'étaient emparés de lui comme si, d'un seul coup, il avait récupéré toute sa lucidité. Il marcha vers la jeune fille, avant de s'arrêter, pétrifié. Je l'entendis dire :

— Isabella ?

Craignant que la boisson ne lui trouble encore l'esprit et qu'il ne s'écroule en pleine rue, je fis quelques pas de plus. Ce fut alors que je la vis distinctement.

4.

Elle ne devait pas avoir plus de dix-sept ans. Elle émergea à la lumière du réverbère accroché à l'immeuble et nous adressa un sourire timide en esquissant un salut de la main.

— Je suis Sofia, dit-elle avec un léger accent.

Mon père la contemplait, interdit, comme devant une apparition. J'avalai ma salive et sentis un frisson me parcourir le corps. Cette jeune fille était le portrait vivant de ma mère, telle qu'elle figurait dans la collection de photographies que mon père conservait dans son bureau.

— Je suis Sofia, répéta-t-elle, effrayée. Votre nièce. De Naples...

La providence avait voulu que Fermín soit là pour reprendre la situation en main. Après m'avoir, d'un geste, tiré de ma stupeur, il expliqua à la jeune fille que M. Sempere était légèrement indisposé.

— Nous revenons d'une dégustation de vins et, le pauvre, il lui suffit d'un verre de Vichy pour ne plus être dans son assiette. N'en tenez pas compte, *signorina*, normalement, il n'a pas cet air bizarre.

Nous trouvâmes, glissé sous la porte en notre absence, le télégramme urgent que la mère de la jeune personne avait envoyé pour annoncer son arrivée.

Une fois dans l'appartement, Fermín installa mon père sur un canapé et m'ordonna de préparer du café très fort. Entre-temps, il conversa avec la jeune fille, lui posa des questions sur son voyage et émit toutes sortes de banalités, tandis que mon père revenait lentement à la vie.

Avec un accent délicieux, toute joyeuse, Sofia nous expliqua qu'elle était arrivée à dix heures du soir à la gare de France. Elle avait pris un taxi jusqu'à la Plaza de Cataluña. En ne trouvant personne chez nous, elle s'était réfugiée dans un café voisin jusqu'à la fermeture. Puis elle s'était assise devant le porche pour attendre, sûre que, tôt ou tard, quelqu'un se présenterait. Mon père se rappelait la lettre dans laquelle la mère de Sofia annonçait sa venue, mais il n'avait pas imaginé qu'elle débarquerait si vite.

— Je suis désolé que tu aies dû attendre dans la rue. En temps normal je ne sors jamais, mais ce soir c'était l'enterrement de vie de garçon de Fermín et...

Sofia, ravie de la nouvelle, se leva et planta un baiser de félicitations sur la joue de Fermín. Celui-ci, bien que censé s'être retiré du champ de bataille, ne put résister à cet appel et l'invita sur-le-champ à la noce.

Nous bavardions ainsi depuis une demi-heure quand Bea, qui revenait de la soirée d'enterrement de vie de jeune fille de Bernarda, entendit nos voix en montant l'escalier et sonna à la porte. Quand elle entra dans le couloir et vit Sofia, elle blêmit.

— Voici ma cousine Sofia, de Naples, annonçai-je. Elle est venue étudier à Barcelone et va habiter un temps chez nous...

Bea tenta de dissimuler son émotion et salua Sofia avec le plus grand naturel.

— Je te présente ma femme, Beatriz.

— Bea, s'il te plaît. Personne ne m'appelle Beatriz.

Le temps et le café atténuèrent le choc de l'arrivée de Sofia. Au bout d'un moment, Bea suggéra que, la pauvre étant sûrement épuisée, le mieux était qu'elle aille dormir : demain serait un autre jour, même si c'était un jour de noces. Il fut décidé que Sofia s'installerait dans ce qui avait été ma chambre d'enfant et Fermín, une fois certain que mon père ne retomberait pas dans le coma, l'escorta jusqu'à sa chambre. Bea proposa à Sofia de lui prêter une robe pour la cérémonie, et au moment où Fermín, dont l'haleine sentait le champagne à deux mètres, s'apprêtait à lâcher quelque commentaire malvenu sur certaines ressemblances et dissemblances de silhouettes et de tailles, je le fis taire d'un coup de coude.

Une photographie de mes parents prise le jour de leur mariage nous observait depuis une étagère. Nous restâmes tous les trois assis dans la salle à manger à la regarder sans sortir de notre stupéfaction.

— Comme deux gouttes d'eau, murmura Fermín.

Bea m'observait à la dérobée en tentant de déchiffrer mes pensées. Elle me prit la main et adopta une expression souriante, dans le but de détourner la conversation.

— Alors, comment s'est passée la fête? questionna-t-elle.

— Très convenablement, lui assura Fermín. Et chez vous, les femmes?

— La nôtre n'a pas été convenable du tout.

Fermín me dévisagea gravement.

— Je vous avais bien prévenu que, pour ce genre de choses, les femmes sont beaucoup plus dévergondées que nous.

Bea eut un sourire énigmatique.

— Qui appelez-vous dévergondées, Fermín?

— Excusez cet écart impardonnable, madame Beatriz, le mousseux de Penedés qui coule dans mes veines me fait raconter des sottises. Grand Dieu, non! Pas vous, qui êtes un parangon de vertu et de distinction. Plutôt que de vous prêter le plus lointain soupçon d'effronterie, je préférerais devenir muet et passer le restant de mes jours à faire pénitence dans une cellule de chartreux.

— Nous n'aurons pas cette chance, fis-je remarquer.

— En voilà assez là-dessus, trancha Bea en nous parlant comme si nous avions tous les deux onze ans. Et maintenant, je suppose qu'avant le mariage vous allez faire votre promenade traditionnelle sur le brise-lames.

Nous nous regardâmes, Fermín et moi.

— Allez-y donc. Vous avez intérêt à être à l'heure demain à l'église...

5.

Le seul endroit que nous trouvâmes ouvert à cette heure fut le Xampanyet de la rue Montcada. Nous dûmes tellement leur faire pitié qu'ils nous laissèrent rester un moment pendant qu'ils nettoyaient. À l'instant de fermer, apprenant que Fermín était sur le point de se convertir en homme marié, le patron lui donna sa bénédiction et une bouteille de la médecine maison.

— Courage, et au taureau ! lui conseilla-t-il.

Nous errâmes dans les ruelles du quartier de la Ribera en refaisant le monde à grands coups de marteau, selon notre habitude, jusqu'à ce que le ciel se colore d'un pourpre ténu, signe qu'il était temps pour le futur mari et son témoin, moi en l'occurrence, de s'engager sur le brise-lames pour accueillir, une fois de plus, l'aube face au plus grand mirage du monde : cette Barcelone qui s'éveillait reflétée par les eaux du port.

Nous restâmes là, les jambes pendant de la jetée, à partager la bouteille que l'on nous avait offerte au Xampanyet. Entre deux goulées, nous contemplâmes la ville sans un mot tout en suivant le vol d'une bande de mouettes au-dessus du dôme de l'église de la Mercé qui dessinait comme un arc entre les tours du bâtiment de la poste. Au loin, au sommet de la montagne de Montjuïc, s'élevait le fort, tel un oiseau spectral qui scrutait la ville à ses pieds, aux aguets.

La sirène d'un bateau rompit le silence : de l'autre côté de la darse nationale, un grand paquebot larguait les amarres. Il s'écarta du quai et, d'un coup d'hélices qui laissa une grande étoile sur les eaux du port, mit le cap sur la passe. Des douzaines de passagers se tenaient à la poupe et saluaient de la main. Je me demandai si la Rocíito était du nombre, près de son galant et automnal ferrailleur de Reus. Fermín observait la scène, songeur.

— Vous croyez que la Rocíito sera heureuse, Daniel ?

— Et vous, Fermín ? Vous croyez que vous serez heureux ?

Le paquebot et les silhouettes diminuèrent jusqu'à devenir invisibles.

— Fermín, quelque chose m'intrigue. Pourquoi n'avez-vous pas voulu de cadeaux de mariage ?

— Je n'aime pas mettre les gens dans l'embarras. Et puis qu'est-ce que nous ferions, nous, avec des tas de verres, des couverts marqués aux armes de l'Espagne et toutes ces choses qu'on offre aux mariés ?

— J'aurais eu plaisir à vous faire un cadeau.

— Vous m'avez déjà fait le plus beau cadeau qu'on puisse rêver, Daniel.

— Celui-là ne compte pas. Je parle d'un cadeau dont vous auriez usé et profité personnellement.

Fermín me considéra, surpris.

— Pas une vierge en porcelaine ou un crucifix ? Bernarda en a déjà une telle collection que je ne sais pas où nous pourrons nous asseoir.

— Soyez sans crainte. Il ne s'agit pas d'un objet.

— Pas non plus de l'argent ?...

— Vous savez bien que, malheureusement, je ne possède pas un centime. Celui qui est en fonds, c'est mon beau-père, et il ne lâche rien.

— Les franquistes de la dernière heure sont les plus zélés.

— Mon beau-père est un brave homme, Fermín, ne le critiquez pas.

— Couvrons la question d'un voile pudique. Mais ne détournez pas la conversation, maintenant que vous m'avez fait monter l'eau à la bouche. Quel cadeau?

— Devinez.

— Un lot de Sugus?

— Froid, froid.

Fermín haussa les sourcils, dévoré de curiosité. Soudain, une lueur brilla dans ses yeux.

— Non... Est-ce que l'heure serait venue?

Je confirmai.

— Tout vient en son temps. Maintenant, écoutez-moi bien. Ce que vous allez voir, vous ne devez le raconter à personne, Fermín. À personne...

— Pas même à Bernarda?

6.

Le premier soleil de la journée glissait comme du cuivre liquide le long des corniches de la Rambla de Santa Mónica. C'était un dimanche et les rues étaient désertes et silencieuses. Le rayon de lumière éblouissant qui pénétrait dans la ruelle de l'Arc-du-Théâtre depuis les Ramblas s'éteignait à mesure que nous avancions, et quand nous arrivâmes devant le grand portail en bois, nous nous trouvâmes immergés dans une ville d'ombre.

Je gravis les quelques marches et frappai avec le heurtoir. L'écho se perdit lentement à l'intérieur, telles des ondes sur un étang. Fermín, qui avait observé un silence respectueux et ressemblait à un petit garçon sur le point de célébrer sa première communion, me jeta un coup d'œil anxieux.

— Il n'est pas un peu tôt pour nous présenter? Si le chef prenait la mouche...

— Ce ne sont pas les magasins El Siglo. Il n'y a pas d'horaires, le rassurai-je. Et le chef s'appelle Isaac. Ne parlez pas avant qu'il vous interroge.

Fermín s'empressa d'acquiescer.

— Je resterai bouche cousue.

Deux ou trois minutes plus tard, j'entendis la danse des engrenages, poulies et leviers qui réglaient la serrure de la lourde porte. Celle-ci s'ouvrit d'à peine quelques centimètres et le profil d'aigle d'Isaac Montfort, le gardien, apparut. Ses yeux perçants se posèrent d'abord sur moi et, après une inspection sommaire, radiographièrent, cataloguèrent et jaugèrent consciencieusement Fermín.

— Ce doit être l'illustre Fermín Romero de Torres, murmura-t-il.

— Pour vous servir, pour servir Dieu et...

Je fis taire Fermín d'un coup de coude et souris au sévère gardien.

— Bonjour, Isaac.

— Le vrai bon jour sera celui où vous ne frapperez pas dès potron-minet, quand je suis aux toilettes ou quand c'est un jour férié, Sempere, répliqua Isaac. Allons, entrez.

Le gardien nous ouvrit un peu plus, nous permettant de nous faufiler à l'intérieur. En refermant le portail derrière nous, Isaac éleva la lampe qu'il avait posée sur le sol, et Fermín put contempler l'arabesque mécanique de cette serrure qui se repliait sur elle-même comme les entrailles de la plus grosse horloge du monde.

— Les voleurs n'ont qu'à bien se tenir, laissa-t-il tomber.

Je lui lançai un regard d'avertissement et, tout de suite, il reprit un air impassible.

— Vous venez pour prendre ou pour déposer? demanda Isaac.

— En réalité, voilà un bout de temps que je voulais amener Fermín ici pour qu'il connaisse en personne le lieu. Je lui en ai souvent parlé. C'est mon meilleur ami, et il se marie aujourd'hui à midi, expliquai-je.

— Grand Dieu! s'exclama Isaac. Le pauvre! Il ne souhaite tout de même pas que je lui offre l'asile nuptial?

— Fermín est de ceux qui se marient par conviction, Isaac.

Le gardien l'inspecta de haut en bas. Fermín lui adressa un sourire d'excuse pour son intrépidité.

— Quel courage!

Isaac nous guida le long du grand couloir jusqu'à la galerie qui donnait sur la grande salle. Je laissai Fermín me devancer de quelques pas pour qu'il découvre de ses propres yeux cette vision que les mots étaient impuissants à traduire.

Sa silhouette minuscule s'enfonça dans le faisceau de lumière qui descendait de la vaste coupole vitrée. La clarté tombait telle une cascade vaporeuse sur l'enchevêtrement de l'immense labyrinthe de couloirs, tunnels, escaliers, arcs et voûtes qui semblait jaillir du sol comme le tronc d'un arbre infini fait de livres, avant de s'ouvrir vers le ciel en une géométrie impossible. Fermín s'arrêta au début d'une passerelle qui pénétrait à la manière d'un pont dans la base de la structure et, bouche bée, contempla le spectacle. Je le rejoignis silencieusement et lui posai la main sur l'épaule.

— Bienvenue, Fermín, dans le Cimetière des Livres Oubliés.

7.

D'après mon expérience personnelle, quand quelqu'un découvrait ce lieu, sa première réaction était de rester envoûté et émerveillé. Bien entendu, avec Fermín, ce fut différent. Il passa la première demi-heure hypnotisé, déambulant comme un possédé dans les interstices du grand puzzle que composait le labyrinthe. Il faisait halte pour frapper des jointures les arc-boutants et les colonnes, comme s'il doutait de leur solidité. Il s'arrêtait aux angles et aux perspectives, formant une longue-vue avec ses mains et tentant de déchiffrer la logique de la construction. Il parcourait la spirale de bibliothèques, son nez majestueux à quelques centimètres des dos alignés à l'infini, relevant et cataloguant tout ce qu'il trouvait sur son passage. Je le suivais à quelques pas, entre alarme et inquiétude.

Je commençais à soupçonner qu'Isaac allait nous expulser à coups de pied, quand je me heurtai à lui sur un des ponts suspendus entre les voûtes de livres. À ma grande surprise, non seulement son visage ne marquait aucun signe d'irritation, mais il souriait aimablement en suivant la progression de Fermín dans sa première exploration du Cimetière des Livres Oubliés.

— Votre ami est un spécimen assez particulier, estima-t-il.

— Vous ne savez pas à quel point.

— Ne vous inquiétez pas, laissez-le aller à sa guise, il finira par redescendre de son nuage.

— Et s'il se perd?

— Il m'a tout l'air d'être malin. Il se débrouillera.

Je n'en étais pas tout à fait sûr, cependant je ne voulus pas contredire Isaac. Je l'accompagnai jusqu'à la pièce qui faisait office de bureau et acceptai la tasse de café qu'il m'offrait.

— Vous avez expliqué les règles à votre ami?

— Fermín et les règles sont des notions qui ne cohabitent pas dans la même phrase. Mais je lui ai résumé l'essentiel, et il m'a répondu par un : « Évidemment, pour qui me prenez-vous? » convaincu.

Pendant qu'Isaac remplissait de nouveau ma tasse, il me surprit en train de contempler une photographie de sa fille Nuria accrochée au-dessus de son bureau.

— Ça fera bientôt deux ans qu'elle nous a quittés, murmura-t-il avec une tristesse poignante.

Je baissai les yeux, envahi par le chagrin. Cent ans pourraient passer, la mort de Nuria Montfort resterait associée dans ma mémoire au sentiment qu'elle serait peut-être encore en vie si elle ne m'avait pas rencontré. Isaac caressait la photo du regard.

— Je me fais vieux, Sempere. L'heure vient de céder ma place à un autre.

J'allais protester, quand Fermín entra, l'air pressé, et haletant comme s'il venait de courir un marathon.

— Alors? demanda Isaac. Qu'en pensez-vous?

— Glorieux. Mais j'ai constaté qu'il n'y a pas de toilettes, du moins visibles.

— J'espère que vous n'avez pas fait pipi dans un coin.

— J'ai fait preuve d'une résistance surhumaine jusqu'à maintenant.

— C'est la porte à gauche. Vous devrez tirer la chaîne deux fois, elle ne marche jamais à la première.

Pendant que Fermín vidait sa vessie, Isaac lui servit une tasse qui attendit, fumante, son retour.

— Il y a une série de questions que j'aimerais vous poser, monsieur Isaac.

— Fermín, je ne crois pas que..., m'interposai-je.

— Posez, posez !

— Le premier bloc concerne l'histoire du lieu. Le deuxième est d'ordre technique et architectural. Et le troisième est essentiellement bibliographique...

Isaac rit. Je ne l'avais jamais vu rire de toute sa vie, et je ne sus si c'était un don du ciel ou le présage d'une catastrophe imminente.

— Vous devez d'abord choisir le livre que vous voulez sauver.

— J'ai jeté un coup d'œil à un certain nombre, et, bien que ce soit surtout pour sa valeur sentimentale, je me suis permis de choisir celui-ci.

Il tira de sa poche un volume relié en cuir rouge, avec le titre doré en relief et une tête de mort gravée sur la couverture.

— Ah ! *La Ville des maudits, treizième épisode, Daphné ou l'escalier impossible*, de David Martín..., lut Isaac.

— Un vieil ami, expliqua Fermín.

— Ça alors ! Savez-vous qu'il y eut une époque où je le voyais souvent ici ? dit Isaac.

— Ce devait être avant la guerre, précisai-je.

— Non, non... Je l'ai revu quelque temps après.

Nous nous regardâmes, Fermín et moi. Isaac avait-il raison ou commençait-il à être un peu vieux pour son poste ?

— Je ne voudrais pas vous contredire, chef, mais c'est impossible, objecta Fermín.

— Impossible ? Expliquez-vous mieux...

— David Martín a fui le pays avant la guerre, exposai-je. Au début de 1939, vers la fin du conflit, il a traversé les Pyrénées pour revenir, et il a été arrêté quelques jours plus tard. Il est resté en prison jusqu'au début de 1940, date à laquelle il a été assassiné.

Isaac nous contemplait avec incrédulité.

— Croyez-nous, chef, nos sources sont dignes de foi.

— Je peux vous assurer que David Martín s'est assis ici, sur la même chaise que vous, Sempere, et que nous avons parlé un moment.

— Vous en êtes sûr, Isaac ?

— Je n'ai jamais été plus sûr de toute ma vie, répliqua le gardien. Je m'en souviens, parce que ça faisait des années que je ne le voyais plus. Il était en piteux état et paraissait malade.

— Vous vous souvenez de la date où il est venu ?

— Parfaitement. C'était dans la dernière nuit de 1940. La nuit du Jour de l'an. C'est la dernière fois que je l'ai vu.

Fermín et moi, nous nous perdions en calculs.

— Cela signifie que ce geôlier, Bebo, a dit la vérité à Brians. La nuit où Valls a donné l'ordre de conduire Martín à la demeure proche du parc Güell et de l'abattre... Bebo a raconté qu'il avait entendu ensuite les hommes de main raconter que quelque chose s'était passé là-bas, que quelqu'un d'autre était dans la maison... quelqu'un qui a pu éviter à Martín d'être tué..., improvisai-je.

Isaac écoutait ces suppositions d'un air consterné.

— De quoi parlez-vous ? Qui voulait assassiner Martín ?

— C'est une longue histoire, dit Fermín. Avec des tonnes de notes de bas de page.

— Il faudra que vous me la racontiez un jour...

— Est-ce que Martín vous a paru sain d'esprit, Isaac ? demandai-je.

Isaac haussa les épaules.

— Avec Martín, on ne savait jamais... Cet homme avait une âme tourmentée. Au moment où il partait, je lui ai proposé de l'accompagner au train, mais il m'a assuré qu'une voiture l'attendait dehors.

— Une voiture ?

— Une Mercedes-Benz, rien de moins. Propriété d'une personne dont il parlait comme du « Patron » et qui, apparemment, l'attendait devant la porte. Pourtant, quand je suis sorti avec lui, il n'y avait ni voiture, ni patron, ni rien de rien...

— Ne le prenez pas mal, chef, mais vu que c'était le réveillon du Jour de l'an, et compte tenu du caractère festif de cette nuit, ne serait-il pas possible que vous ayez un peu abusé de vins et de mousseux, et qu'étourdi par les chants et la forte contenance en sucre du touron de Jijona vous ayez tout imaginé ?

— Au chapitre des mousseux, je ne bois que de l'eau gazeuse, et ce que j'ai de plus fort ici est une bouteille d'eau oxygénée, précisa Isaac sans se montrer offusqué.

— Excusez mes doutes. Simple formalité.

— J'en prends acte. Néanmoins, croyez-moi : sauf si celui qui est venu ici était un esprit – et je suis convaincu que ce n'en était pas un, car il saignait d'une oreille et ses mains tremblaient de fièvre, sans oublier qu'il m'a barboté tous les morceaux de sucre de ma réserve... Martín était aussi vivant que vous et moi.

— Savez-vous pour quoi il venait, après tout ce temps ?

— Il souhaitait me laisser quelque chose, qu'il viendrait récupérer quand il le pourrait. Lui, ou quelqu'un envoyé par lui...

— Et qu'a-t-il laissé ?

— Un paquet enveloppé dans un papier ficelé. J'ignore ce qu'il contient.

J'avalai ma salive.

— Vous l'avez toujours ?

8.

Le paquet, récupéré dans le fond d'une armoire, reposait sur le bureau d'Isaac. Lorsque je passai les doigts dessus, la fine pellicule de poussière qui le couvrait s'éleva en un nuage de particules qui brillèrent dans la lumière de la lampe qu'Isaac tenait à ma gauche. À ma droite, Fermín sortit son canif et me le tendit. Je coupai les ficelles. Avec un soin extrême, je défis l'emballage, et le contenu apparut. C'était un manuscrit. Les pages étaient sales, imprégnées de suif et de sang. Sur la première page figurait un titre, dans une écriture diabolique.

— C'est le livre qu'il a écrit pendant sa réclusion dans la tour, murmurai-je. Bebo a dû le sauver.

— Il y a quelque chose dessous, indiqua Fermín.

Un coin de parchemin dépassait des pages du manuscrit. Je le tirai et sortis une enveloppe. Elle était fermée par un sceau en cire écarlate portant la figure d'un ange. Sur l'enveloppe, un seul mot à l'encre rouge :

Je sentis le froid monter dans mes mains. Isaac, qui assistait à la scène entre étonnement et consternation, se retira silencieusement vers le seuil, suivi de Fermín.

— Daniel, appela doucement mon ami. Nous vous laissons en paix pour que vous ouvriez l'enveloppe tranquillement et sans témoin.

J'entendis leurs pas s'éloigner peu à peu, et je pus tout juste entendre le début de leur conversation.

— Chef, avec toutes ces émotions, j'ai oublié de vous dire que tout à l'heure, avant d'entrer, je n'ai pu éviter d'écouter ce que vous racontiez à propos de votre envie de prendre votre retraite en laissant la place à un autre.

— Ça me fait beaucoup d'années passées ici, Fermín. Pourquoi ?

— Voyez-vous, je sais que nous venons à peine de faire connaissance, mais il se pourrait que je sois intéressé.

Les voix de Fermín et d'Isaac se perdirent dans les échos du labyrinthe du Cimetière des Livres Oubliés. Resté seul, je m'assis dans le fauteuil du gardien et brisai le sceau de cire. L'enveloppe contenait une feuille pliée de couleur ocre. Je l'ouvris et commençai à lire.

Barcelone, 31 décembre 1940

Cher Daniel,

Je t'écris cette lettre avec l'espoir et la conviction qu'un jour tu découvriras ce lieu, le Cimetière des Livres Oubliés, un lieu qui a changé ma vie comme, j'en suis sûr, il changera la tienne. Ce même espoir me porte à croire qu'alors, quand je ne serai plus là, quelqu'un te parlera de moi et de l'amitié qui m'a lié à ta mère. Je sais que si tu viens à lire ces lignes, nombreux seront les doutes et les questions qui t'assailliront. Certaines réponses, tu les trouveras dans ce manuscrit où j'ai tenté de donner forme à mon histoire telle que je m'en souviens, sachant que mes jours de lucidité sont comptés et que, souvent, je suis seulement capable d'évoquer ce qui n'a jamais été.

Je sais aussi que, quand tu recevras cette lettre, le temps aura commencé à effacer les traces de ce qui s'est passé. Je sais que tu nourriras des soupçons et que, si la vérité sur les derniers jours de ta mère parvient à ta connaissance, tu partageras avec moi la colère et la soif de vengeance. On prétend que c'est le propre des sages et des justes de savoir pardonner, néanmoins je sais que je ne pourrai jamais le faire. Mon âme est déjà damnée et, pour elle, il n'est plus de salut possible. Je sais que je consacrerai jusqu'au dernier souffle qui me restera en ce monde à tenter de venger la mort d'Isabella. C'est mon destin, mais ce n'est pas le tien.

À aucun prix ta mère n'aurait voulu pour toi une vie comme la mienne. Ta mère aurait voulu pour toi une vie pleine, sans haine ni ressentiment. Pour elle, je te demande de lire cette histoire et, une fois que tu l'auras terminée, de la détruire, d'oublier tout ce que tu auras pu entendre à propos d'un passé qui n'existe plus, de chasser la colère de ton cœur et de vivre l'existence que ta mère a souhaité te donner, en regardant toujours devant toi.

Et si un jour, agenouillé devant sa tombe, tu sens que le feu de la rage tente de s'emparer de toi, rappelle-toi que dans mon histoire, comme dans la tienne, il y a eu un ange qui détient toutes les réponses.

Ton ami,

DAVID MARTÍN

Je relus plusieurs fois les mots que David Martín m'adressait à travers le temps, des mots qui me parurent imprégnés de repentir et de démence, des mots que je ne parvins pas à comprendre totalement. Je conservai la lettre dans mes mains quelques instants, puis je l'approchai de la flamme de la lampe et la regardai brûler.

Je retrouvai Fermín et Isaac à l'entrée du labyrinthe, bavardant tels de vieux amis. Quand j'apparus, leurs voix se turent et tous deux échangèrent des regards interrogateurs.

— Ce que contient cette lettre ne concerne que vous, Daniel. Vous n'avez pas à nous en répéter quoi que ce soit.

J'acquiesçai. L'écho de cloches s'infiltra à travers les murs. Isaac consulta sa montre.

— Vous ne deviez pas aller à un mariage, aujourd'hui?

9.

La mariée était vêtue de blanc, et même si elle ne portait ni bijou luxueux ni parure, il n'y a jamais eu dans l'histoire une femme plus belle aux yeux de son fiancé que Bernarda, en ce dimanche du début de février resplendissant de soleil sur la place de l'église Santa Ana. M. Gustavo Barceló, qui avait acheté toutes les fleurs de Barcelone sans en laisser une seule derrière lui afin d'en inonder l'entrée de l'église, pleura comme une Madeleine, et le curé ami du marié nous surprit par un sermon lucide qui arracha des larmes à tout le monde, même à Bea, ce qui n'était pas facile.

Pour ma part, je faillis laisser tomber les alliances, mais tout fut oublié quand le prêtre, une fois accompli les pro-légomènes, invita Fermín à embrasser la mariée. Ce fut alors que, me retournant un instant, il me sembla voir au dernier rang de l'église un inconnu qui m'observait en souriant. Je ne sais pourquoi, j'eus la certitude que cet étranger n'était autre que le Prisonnier du Ciel. Pourtant, quand je regardai de nouveau, il n'était déjà plus là. Près de moi, Fermín serra étroitement Bernarda dans ses bras et, sans souci du qu'en-dira-t-on, lui planta sur les lèvres un baiser qui souleva une ovation, curé en tête.

En voyant ce jour-là mon ami embrasser la femme qu'il aimait, je songeai que ce moment, cet instant dérobé au temps et à Dieu, valait tous les jours de misère qui nous avaient conduits jusqu'en ce lieu, et bien d'autres jours qui, sûrement, nous attendaient quand nous sortirions pour affronter de nouveau la vie; et que tout ce qu'il y avait de beau et de pur en ce monde, tout ce pour quoi cela valait la peine de respirer était sur ces lèvres, dans ces mains et dans le regard de ces deux bienheureux qui, je le devinai, resteraient unis jusqu'à la fin de leur existence.

Épilogue
1960

Un homme jeune, avec juste quelques mèches grises et une ombre dans le regard, marche au soleil de la mi-journée entre les dalles du cimetière, sous un ciel dont le bleu répond à celui de la mer.

Il porte dans ses bras un enfant qui peut à peine comprendre ses paroles mais qui sourit en rencontrant ses yeux. Ensemble, ils s'approchent d'une modeste tombe à l'écart, près d'une balustrade suspendue au-dessus de la Méditerranée. L'homme s'agenouille devant la tombe et, soutenant son fils, le laisse caresser les lettres gravécs dans la pierre.

ISABELLA SEMPERE
1917-1939

L'homme reste là un moment, silencieux, les paupières mi-closes pour retenir des larmes.

La voix de son fils le ramène dans le présent et, en ouvrant les yeux, il voit l'enfant lui montrer une petite statuette qui dépasse des pétales de fleurs sèches à l'ombre du vase en verre, au pied de la dalle. Il a la certitude qu'elle n'y était pas lors de sa dernière visite à la tombe. Sa main cherche entre les fleurs et trouve une figurine en plâtre si petite qu'elle tient dans le poing. Un ange. Les mots qu'il croyait oubliés se rouvrent dans sa mémoire comme une vieille blessure.

Et si, un jour, agenouillé devant sa tombe, tu sens que le feu de la rage tente de s'emparer de toi, rappelle-toi que dans mon histoire, comme dans la tienne, il y a eu un ange qui détient toutes les réponses…

L'enfant tente de saisir l'ange qui repose dans la main de son père et, en le frôlant des doigts, il le pousse involontairement. La statuette se brise sur le marbre. C'est alors qu'il le découvre : un minuscule bout de papier à l'intérieur du plâtre. Le papier est fin, presque transparent. Il le déroule et reconnaît tout de suite l'écriture :

Mauricio Valls
El Pinar
Calle de Manuel Arnús
Barcelone

La brise de la mer se lève entre les tombes et le souffle d'une malédiction lui caresse le visage. Il glisse le papier dans sa poche. Peu après, il dépose une rose blanche sur la dalle et revient, l'enfant dans ses bras, vers l'allée de cyprès où l'attend la mère de son fils. Tous trois se fondent dans une étreinte. Lorsqu'elle le regarde dans les yeux, elle y découvre quelque chose de trouble qui n'y était pas un moment plus tôt. Quelque chose de trouble et d'obscur qui lui fait peur.

— Tu te sens bien, Daniel ?

Il la dévisage longuement puis sourit.

— Je t'aime, dit-il, et il l'embrasse, en sachant que l'histoire, son histoire, n'est pas terminée.

Elle ne fait que commencer.

Table

La photocomposition de cet ouvrage
a été réalisée par
GRAPHIC HAINAUT
59163 Condé-sur-l'Escaut

Achevé d'imprimer

Marquis imprimeur inc.

Québec, Canada
2012

Dépôt légal : novembre 2012
N° d'édition : 52515/01 –

Imprimé au Canada